SICILIANO

ACADEMIA DE
Inteligência

Augusto Cury

Análise da inteligência de Cristo

coleção

O MESTRE DO AMOR

*Nunca alguém tão grande se fez tão pequeno
para fazer grandes os pequenos.
O Mestre do Amor só admitiu estar acima das pessoas
quando foi cravado sem piedade na cruz.*

ACADEMIA DE
Inteligência

ACADEMIA DE
Inteligência

Produtora Executiva
Suleima Cabrera Farhate Cury

Capa e projeto gráfico
Lau Baptista

Revisão
Cláudia J. Alves Caetano

Editoração eletrônica
Imagecom - fazedores de imagem

C982m
    Cury, Augusto Jorge
      O mestre do amor / Augusto Jorge Cury –
    São Paulo: Academia de inteligência, 2002.
    200p.; 21cm.

    ISBN 85-87643-04-5

    1. Jesus Cristo - Personalidade e missão 2. Jesus
    Cristo – Ensinamentos. I. Título.

                             CDD 232.9

Todos os direitos desta edição reservados à
Editora Academia de Inteligência
Telefax: (17) 3342-4844
Endereço na Internet: **http://www.academiadeinteligencia.com.br**
E-mail: **academiaint@mdbrasil.com.br**

Dedico este livro a todos aqueles que
não desistem de si mesmos, e que descobriram
que a vida é o maior de todos os
espetáculos – **um espetáculo dado pelo
Autor da existência.**
Àqueles que, mesmo com lágrimas, anseiam
pelo direito de ser livres e felizes...

SUMÁRIO

Prefácio

Nunca nenhum homem foi capaz de abalar tanto os alicerces mais sólidos das ciências e das instituições humanas como Jesus Cristo. Seus discursos chocam os conceitos fundamentais da medicina, psiquiatria, física, sociologia.

O pai da medicina, Hipócrates, viveu séculos antes de Cristo. A medicina é uma ciência fantástica. Ela sempre usufruiu dos conhecimentos de outras ciências objetivando produzir técnicas para aliviar a dor e retardar o fenômeno da morte. A medicina pode fazer muito para quem está vivo, mas nada para quem está definitivamente morto. Jesus perturbou os pressupostos da medicina ao discorrer sobre a superação do caos da morte e sobre a janela da eternidade.

As suas palavras também chocam a psiquiatria. A psiquiatria é uma ciência poética. Ela trata da alma, que é bela e real, mas intangível e invisível. Ela objetiva corrigir as rotas do mundo das idéias e a aridez da personalidade humana.

Nenhuma espécie é tão complexa quanto a nossa e

nenhuma sofre tanto como ela. Milhões de jovens e adultos adquirem conflitos e são vítimas da depressão, ansiedade, *stress*. Nunca a tecnologia do lazer foi tão grande e nunca as pessoas estiveram tão tristes e com tanta dificuldade de navegar nas águas da emoção.

Os medicamentos antidepressivos e tranqüilizantes são excelentes armas terapêuticas, mas não têm capacidade de conduzir o homem a gerenciar seus pensamentos e emoções. A psiquiatria trata do homem doente, mas não sabe como torná-lo feliz, seguro, sábio, sereno.

Jesus Cristo discursou sobre algo que a psiquiatria sonha, mas não alcança. Convidou categoricamente as pessoas a beber de sua felicidade, tranqüilidade e sabedoria. Quem tem coragem de fazer esse convite aos íntimos? As pessoas mais tranqüilas perdem o controle nos focos de tensão.

Suas palavras e gestos são capazes de chocar também a sociologia. No auge da sua fama, ele curvou-se aos pés de simples galileus e lavou-os, invertendo os papéis sociais: o maior deve ser aquele que serve e honra os menores. Seus gestos planejados foram registrados nas matrizes da memória dos seus incultos discípulos, levando-os a aprender lições que reis, políticos e poderosos não aprenderam.

Ele ainda fez gestos que abalam os alicerces da física, química e das ciências políticas. A educação também não passou incólume a esse grande mestre. Sua psicopedagogia não apenas é atual, mas revolucionária. Ele transformou pessoas incultas, ansiosas e intolerantes na mais fina estirpe de pensadores. Quem é esse homem que foi desconsiderado pela ciência, mas perturbou seus alicerces?

Agora, neste livro, estudaremos as suas últimas horas de vida. Ele está morrendo pendurado numa cruz. Era de se esperar que dessa vez ele não brilhasse em sua inteligência, que gritasse desesperadamente, fosse consumido pelo medo, derrotado pela ansiedade e reagisse por instinto como qualquer miserável às portas da morte. Mas ferido, ele foi mais surpreendente ainda. Seus comportamentos abalaram mais uma vez a psicologia.

O homem Jesus fez poesia no caos. Você consegue fazer poesia quando a dor constrange a sua alma? Às vezes nem quando estamos atravessando terrenos tranqüilos produzimos idéias poéticas.

A crucificação de Jesus Cristo talvez seja o evento mais conhecido da população mundial. Mas é o menos compreendido e o mais importante da história. Bilhões de pessoas sabem como ele morreu, mas elas não têm idéia dos fenômenos complexos que estavam presentes no palco da cruz e, principalmente, por detrás da cortina do cenário. Estudar seus últimos momentos abrirá as janelas de nossa mente para não apenas compreendermos melhor o mais misterioso dos homens, mas também quem nós somos... Afinal de contas, quem pode explicar a vida que pulsa em nós?

CAPÍTULO 1

DOIS TIPOS
DE SABEDORIA

Há dois tipos de sabedoria: a inferior e a superior. A sabedoria inferior é dada pelo quanto uma pessoa sabe e a superior é dada pelo quanto ela tem consciência de que não sabe. Os verdadeiros sábios são os mais convictos da sua ignorância. Desconfiem das pessoas auto-suficientes. O orgulho é um golpe contra a lucidez, um atentado contra a inteligência.

A sabedoria superior tolera; a inferior, julga; a superior alivia, a inferior culpa; a superior perdoa, a inferior condena. Na sabedoria inferior há diplomas, na superior ninguém se diploma, não há mestres nem doutores, todos são eternos aprendizes. Que tipo de sabedoria controla sua vida?

Sabemos muito pouco sobre a vida, sobre o Autor da vida e sobre o mais enigmático dos homens, Jesus Cristo[1]. Freqüentemente me pergunto: quem é Deus? Por que ele se esconde atrás do véu da sua criação e não se mostra sem segredos?

Inúmeras pessoas falam diariamente sobre Deus e sobre

a vida, mas quem é esse Deus sobre quem tanto discursamos? É possível discorrer com segurança sobre o Arquiteto da vida? Ele fez do homem sua obra-prima e o colocou num inexplicável planeta azul.

Se Ele é real, por que se esconde atrás da cortina do tempo? Ele vestiu o homem com inteligência. O homem o procura desde os primórdios de sua existência. Construiu milhares de religiões para tentar entendê-lo, escreveu milhões de livros, mas se formos sinceros diremos que Deus continua sendo um grande mistério. Para resolver nossas dúvidas, veio à terra um homem chamado Jesus. Mas ele teve comportamentos que contrariam a lógica de nossas idéias.

Por que ele morreu em condições inumanas? Por que, quando estava livre, fez milagres impressionantes, mas quando estava preso não fez nada para aliviar a sua dor? Por que ele defendeu seus carrascos na cruz e não reagiu com violência e irracionalidade?

Antes de falarmos especificamente sobre sua crucificação, usarei os três primeiros capítulos para analisar algumas áreas fundamentais da sua personalidade. Caso contrário, não compreenderemos o homem que no ápice da dor teve reações capazes de tirar o fôlego de qualquer pesquisador lúcido da psicologia, da psiquiatria e da filosofia.

Muitos teólogos no mundo todo acham que conhecem o mestre dos mestres. Este livro, talvez, nos mostre que todos nós sabemos muito pouco sobre o personagem mais famoso da terra.

Uma procura incansável sobre nossas origens

Sabemos muito pouco também sobre nós mesmos. Quem

somos? Como produzimos pensamentos e confeccionamos a consciência? Você já percebeu que você, tal como cada ser humano, é um ser único no teatro da vida?

Pensar e ter consciência parece tão simples, mas a ciência e todas as bibliotecas do mundo inteiro são insuficientes para explicar apenas a solidão de uma criança abandonada nas ruas.

A vida humana é brevíssima. Vivemos num pequeno parêntese do tempo. Os políticos estão nos congressos, os professores em salas de aula, os médicos nos consultórios, as mães estão educando os seus filhos, os trabalhadores estão nas empresas, tudo parece tão comum e normal. Entretanto, muitos não compreendem que por mais que desempenhemos com seriedade nossas atividades, a vida humana, com todos os seus eventos, é apenas uma fagulha no tempo, que rapidamente cintila e logo se apaga.

Bastam dois instantes se encontrarem, o da meninice e o da velhice, para nos tornarmos apenas uma página na história. Você tem consciência da brevidade da vida? Tal consciência o estimula a buscar a sabedoria superior?

Apaixonado pela espécie humana

Se você compreender algo sobre a complexidade dos fenômenos que se encenam no palco de nossa mente e que constroem as idéias, descobrirá que não existem árabes ou judeus, americanos ou alemães, negros ou brancos, somos todos uma única e apaixonante espécie.

O mestre da vida, Jesus Cristo, era profundamente apaixonado pela espécie humana[2]. Ele dava uma atenção especial a cada ser humano. Os miseráveis eram tratados como príncipes e os príncipes, como reis.

Por onde ele transitava, almejava abrir os portais da mente das pessoas e aumentar o campo de visibilidade sobre a vida. Sua tarefa não era fácil, pois as pessoas viviam engessadas dentro de si mesmas, embora ainda hoje muitas continuem travadas na arte de pensar.

Parece que algumas pessoas são imutáveis. Elas erram os mesmos erros freqüentemente, dão sempre as mesmas respostas para os mesmos problemas, não conseguem duvidar de suas verdades e nem estar abertas para novas possibilidades de pensar. Elas são vítimas e não autoras de sua história. Você é o autor de sua história ou vítima dos seus problemas?

Jesus desejava que o homem fosse autor de sua vida, alguém capaz de exercer com consciência seu direito de decidir. Por isso, ele convidava as pessoas a segui-lo. Nós, diferentemente, pressionamos nossos filhos, funcionários e clientes a seguir nossas idéias e nossas preferências.

O mestre do amor tinha muito para ensinar a cada pessoa, mas nunca as pressionava a estar aos seus pés ouvindo-o. O amor e não o temor era o perfume que esse fascinante mestre exalava para atrair o homem e fazê-lo verdadeiramente livre.[3]

O espetáculo da vida...

O mundo carece de pensadores. As sociedades precisam de homens que possuam idéias inovadoras capazes de contribuir para enriquecer nossas inteligências e mudar as rotas de nossas vidas.

Raramente um político, intelectual, um artista tem idéias novas e brilhantes. Não há emoção em suas palavras. O espetáculo está nos filmes, mas não no terreno da realidade. É incomum ouvirmos homens famosos nos encantando com sua inteligência.

Estamos tão atarefados em comprar, vender, ter, fazer, que não conseguimos ficar atônitos com o espetáculo da vida e nem com os segredos que o cercam. É infreqüente alguém fazer uma simples indagação filosófica tal como esta: "Que mistério é estar vivo e mergulhado no tempo e no espaço!". Você já parou para pensar que a vida que pulsa em você é fonte insondável de enigmas? Quem deixou de perguntar sobre os fenômenos da existência se diplomou na escola da vida, destruiu sua capacidade de aprender.

As crianças de hoje têm mais informações do que um idoso do passado. Os adultos estão abarrotados de informações, mas dificilmente sabem organizá-las. Saber muito, mas pensar pouco tem pouca utilidade. Muitos têm uma mente com centímetros de profundidade e quilômetros de extensão.

Todavia, se você está como eu, aborrecido com a carência de pensadores numa sociedade em que as escolas se multiplicaram, aqui teremos um consolo. Estudaremos uma pessoa que não apenas surpreendia as pessoas, mas as deixava assombradas com seus pensamentos.[4]

Ao longo de mais de vinte anos tenho estudado o funcionamento da mente. Nesse período produzi, como alguns sabem, uma nova teoria sobre a construção da inteligência chamada de "Inteligência Multifocal". Escrevi mais de três mil páginas sobre o fantástico mundo das idéias e das emoções. Parece que escrevi muito, mas isso é pouquíssimo diante dos segredos que nos tecem como seres que pensam.

Sem querer me ostentar, gostaria de relatar que pesquisei alguns fenômenos que os pensadores da psicologia, tais como Freud, Jung, Roger, Erich Fromm, Viktor Frankl, Piaget, não tiveram a oportunidade de estudar; fenômenos que estão relacionados aos papéis da memória, à construção das cadeias de pensamentos e à formação da complexa consciência humana.

Meus estudos me ajudaram a analisar, ainda que com limites, algumas áreas da mente insondável de Cristo: como ele gerenciava seus pensamentos, protegia sua emoção, superava seus focos de tensão, abria as janelas da sua mente e dava respostas admiráveis em situações angustiantes. Estudar o funcionamento da mente humana e analisar a inteligência do mestre dos mestres ampliou meus horizontes para enxergar o espetáculo da vida. Você consegue enxergar o mundo encantador da inteligência humana?

Muitos não conseguem compreender que as pessoas ao seu redor são mais complexas do que os buracos negros no céu. Cada vez que você produz uma reação ansiosa, vivencia um momento de insegurança ou constrói um pequeno pensamento realizou um fenômeno mais complexo do que as reações do sol.

Mesmo as crianças especiais são tão complexas no funcionamento da mente quanto os intelectuais. As crianças com deficiência mental possuem intactos os fenômenos que constroem as cadeias de pensamentos. A diferença entre eles está apenas na reserva de memória que alimenta esses fenômenos. Se houvesse possibilidade de se produzir uma memória auxiliar, seriam intelectualmente normais.

Poucos conseguem perceber o privilégio de ser um ser humano, pois não conseguem olhar para além da vitrine de seus problemas e dificuldades.

Jesus, um excelente utilizador da arte da dúvida

Independente de Jesus ser o filho de Deus, ele foi o mais humano dos homens. Foi um homem até às últimas gotas de sangue, até que seu coração, combalido, bateu pela última vez...

Jesus amava ser um homem e lutava para que as pessoas percebessem o valor incondicional da vida. Para isso, procurava desobstruir a inteligência delas. Que ferramenta ele usava?[5]

Muitos pensam que Jesus só discorria sobre a fé, mas ele utilizava uma das melhores ferramentas para abrir as janelas da mente humana: a arte da dúvida. Ao longo da minha trajetória como pesquisador, percebi que a arte da dúvida é uma ferramenta fundamental para expandir o leque do pensamento. A morte de um cientista ocorre quando ele deixa de duvidar do seu conhecimento.

Duvidar das minhas convicções pode fortalecê-las se elas tiverem fundamento ou pode abrir novas possibilidades do pensamento se elas forem frágeis e superficiais. Quem sabe utilizar a arte da dúvida vai ao encontro da sabedoria superior e, por isso, sempre vai considerar todo seu conhecimento uma pequena gota num oceano.

Os jovens de hoje são freqüentemente autoritários. O mundo tem de girar em torno das suas verdades e necessidades. Por estarem abarrotados de informações, acham que entendem de tudo. Raramente uma pessoa mais velha consegue mudar as rotas do que pensam e sentem. Por quê? Porque não aprenderam a duvidar de si mesmos, a questionar as suas opiniões e nem a se colocar no lugar dos outros.

As pessoas autoritárias excluem a arte da dúvida da sua história, por isso são inquestionáveis. Onde estão as pessoas autoritárias? Em todos os ambientes, até nos menos suspeitos, tais como nas universidades e nas instituições religiosas. De certa forma, todos temos as raízes inconscientes do autoritarismo.

Há pouco tempo atendi um excelente advogado. Ele chorava muito porque estava deprimido e ansioso.

Aparentemente era humilde e simples, mas por detrás de sua humildade havia uma pessoa auto-suficiente e quase impenetrável.

Ele manipulava seus psiquiatras, dirigia seu tratamento, ficava prevendo efeitos colaterais dos medicamentos que tomava. Conseqüentemente, sua melhora era flutuante, melhorava e recaía, pois não aprendia a gerenciar seus pensamentos nem a ser o autor da sua própria história. Felizmente, está compreendendo que tem defesas autoritárias e está reescrevendo os principais capítulos de sua vida.

Uma das principais características de uma pessoa autoritária é que ela impõe e não expõe o que pensa. Quais são os parâmetros para sabermos se uma pessoa é autoritária? Vários. Entre eles: dificuldade de reconhecer erros, dificuldade de aceitar críticas, defesa radical e prolixa das suas idéias, dificuldade de se colocar no lugar dos outros. Cuidado! Essas características não são saudáveis, conspiram contra a tranqüilidade e o prazer de viver. Faça um favor para você. Relaxe e seja flexível.

Jesus foi a pessoa mais flexível e aberta que analisei. Seus opositores o ofendiam drasticamente e ele não revidava. Algumas pessoas, através de sua sensibilidade, conseguiam fazê-lo mudar de idéia e ele se alegrava com elas e até as elogiava. Tal foi o caso da mulher cananéia.[6] Era uma pessoa de convicções sólidas, mas nunca impunha o que pensava. Além disso, sabia respeitar as pessoas, nunca pedia conta dos seus erros nem as expunha publicamente.

Ele foi um excelente mestre no uso da arte da dúvida. Como a usava? Através da arte da pergunta e das suas instigantes parábolas.[7] Mas a dúvida não depunha contra a fé? Primeiro ele usava a arte da dúvida para remover os preconceitos das pessoas, depois discorria sobre a fé. Portanto, ele discorria sobre uma fé inteligente. Um homem tão inteligente só podia falar sobre coisas inteligentes.

Tudo em que as pessoas crêem as controla. Através da ferramenta da dúvida, o mestre libertava as pessoas da ditadura do preconceito e depois falava do seu plano transcendental.

Os três estágios da dúvida

A dúvida tem três estágios: ausência da dúvida, a presença inteligente da dúvida, a presença excessiva da dúvida.

A ausência da dúvida gera pessoas psicopatas. Quem nunca duvida de si mesmo, quem se acha infalível e perfeito nunca terá compaixão dos outros.

A presença inteligente da dúvida abre as janelas da inteligência e estimula a criatividade e a produção de novas respostas.

A presença excessiva da dúvida leva as pessoas a retrair sua inteligência e suas atitudes pela insegurança. Tornam-se excessivamente tímidas e autopunitivas.

A dúvida inteligente esvazia o orgulho. Jesus contava ricas parábolas levando as pessoas a confrontar-se com seu orgulho e rigidez, desse modo ele objetivava estimular o espírito delas e romper seu cárcere intelectual. Ele respondia perguntas com perguntas e quando dava respostas elas sempre abriam os horizontes dos pensamentos. Era um grande mestre da educação e seus discursos formavam e não informavam.

Alguns têm títulos de doutores, mas são reprodutores de conhecimento, repetem o que estudaram, falam o que os outros produziram. Precisamos de poetas da vida nos recônditos da sociedade. Precisamos ser engenheiros de novas idéias. Precisamos surpreender as pessoas e ajudá-las a mudar os alicerces da sua história.

Quem andava com Jesus Cristo estilhaçava constantemente seus paradigmas. Não havia rotina. Ele incendiava o espírito e a alma das pessoas. Seus gestos e comportamentos surpreendiam tanto seus discípulos que, pouco a pouco, foram lapidando suas personalidades. Você surpreende as pessoas e incendeia o ânimo delas ou as bloqueia?

Um engenheiro de idéias, uma história que deu certo.

Lembro-me de um paciente que tinha um excelente nível intelectual, porém era tenso e tinha graves problemas de relacionamento com uma de suas filhas. Pai e filha se atritavam continuamente. No processo psicoterapêutico disse a ele que se quisesse mudar a natureza da relação com sua filha, tinha de reescrever a imagem doentia que ambos construíram nos territórios inconscientes da memória.

O desafio era reeditar essa imagem, já que é impossível deletá-la. E, para que sua filha reeditasse a imagem doentia que tinha dele, ele teria de surpreendê-la com gestos inusitados, incomuns. Ele entendeu os papéis da memória e estabeleceu como meta mudar essa história. Sem meta, não mudamos o *script* de nossas vidas.

Certo dia, ele pediu à filha que comprasse um buquê de flores para presentear a esposa de um amigo que fazia aniversário. Ela, mais uma vez, recusou-se a atender seu pedido, dando-lhe a desculpa de que não tinha tempo.

Essa recusa deveria detonar nele um fenômeno inconsciente[1], chamado de gatilho da memória, que abriria uma janela que contém uma imagem doentia da filha, e que, por sua vez, o conduziria a agredi-la com palavras. Ele, novamente, diria que a sustenta, que paga a sua faculdade, a gasolina do seu carro e que ela não reconhece seu valor. Ambos sairiam, como sempre, magoados um com o outro.

Mas, dessa vez, ele não teve tal atitude. Aprendeu a gerenciar seus pensamentos e a controlar as janelas da memória. Manteve o silêncio e saiu. Foi à floricultura, comprou o buquê que almejava. E sabe o que mais ele fez? Escolheu o melhor botão de rosa para a sua filha.

Chegou em casa, deu a flor a ela e disse-lhe que a amava intensamente. Comentou que ela era muito importante para ele e que não podia viver sem ela. Ela, atônita com a atitude do pai, chorou, mas não de tristeza. Sua voz ficou embargada porque estava descobrindo alguém diferente do que conhecia. Então, sem que ela percebesse, a imagem autoritária e rígida do seu pai começou a ser reeditada nos arquivos inconscientes da sua memória. Passou a respeitá-lo, amá-lo, ouvi-lo. Começou a ver que seu pai não queria controlá-la, mas almejava o melhor para ela, só não sabia se expressar. Ele errava ao acusá-la, mas a amava. De outro lado, o próprio pai começou a reescrever a imagem de sua filha. Enxergou que ela tinha muitas qualidades e não apenas defeitos.

Sabe o que aconteceu? Eles deixaram de ser um grupo de estranhos. Começaram a dividir seus mundos, cruzar as suas histórias. Antes, respiravam o mesmo ar, mas estavam em mundos diferentes. Estavam próximos e, ao mesmo tempo, muito distantes um do outro.

Hoje, são grandes amigos e se amam calorosamente. A mudança foi tão grande que ele me pediu que escrevesse sobre os papéis da memória em um próximo livro, para que outros pais e filhos tivessem a oportunidade de mudar os pilares de suas vidas. Em sua homenagem, relatei sua história. Ele se tornou um engenheiro de idéias.

Em pesquisa que já realizei, mais de 80% dos pais e filhos vivem como um grupo de estranhos. Você consegue surpreender as pessoas com as quais convive ou é uma pessoa imutável? Se você não as surpreender, nunca irá conquistá-las.

Avalie se você não é uma pessoa difícil. Às vezes somos bons produtos com péssima embalagem, vendemos mal nossa imagem. Fale com o coração. Conquiste as pessoas difíceis. Faça coisas que nunca fez com elas. Seja um engenheiro de idéias. Cause impacto na emoção e na memória delas. Você ficará impressionado com o resultado.

Os engenheiros de idéias estão escasseando não apenas no campo das relações interpessoais, mas também na psicologia, sociologia, filosofia, nas ciências físicas e matemáticas.

O mais excelente engenheiro de idéias

Jesus construía relações sociais riquíssimas, mesmo em pouco tempo. As pessoas que conviviam com ele o amavam intensamente. Multidões despertavam antes do sol raiar para ouvi-lo.

A mulher samaritana, ao ouvi-lo, ficou tão encantada que saiu pela cidade discorrendo sobre ele, embora mal o conhecesse. Ela era uma mulher promíscua e socialmente rejeitada. Mas o mestre do amor não pediu conta dos homens com quem ela tinha andado. Ele disse que ela estava sedenta, ansiosa e precisava beber de um prazer que jamais havia experimentado.[8]

Que homem é esse que em poucas palavras deixa maravilhados seus ouvintes? As pessoas querem formatar o homem Jesus, mas é impossível formatá-lo. Independente de sua divindade, ele foi um homem deslumbrante.

A educação está morrendo

A educação moderna está em processo de falência no mundo todo. Educar tem sido uma tarefa desgastante e pouco eficiente. Não por culpa dos educadores e nem pela falta de limites dos filhos imposta pelos pais, mas por um problema mais grave que está ocorrendo nos bastidores da mente humana e que os cientistas sociais e os pesquisadores da psicologia não estão compreendendo.

O ritmo de construção de pensamento do homem moderno acelerou-se doentiamente, gerando a síndrome SPA, ou síndrome do pensamento acelerado[II]. Estudaremos essa síndrome adiante.

Os jovens estão desenvolvendo coletivamente a síndrome SPA. Tal síndrome faz com que eles procurem ansiosamente novos estímulos para excitar suas emoções e como não os encontram, ficam agitados e inquietos. A sala de aula tornou-se um canteiro de tédio e *stress*, por isso não se concentram e têm pouco interesse em aprender.

Os professores são como cozinheiros que elaboram alimentos para uma platéia sem apetite. Os conflitos em salas de aula estão conduzindo os professores a adoecer coletivamente no mundo todo. Na Espanha, 80% deles estão profundamente estressados.

No Brasil, de acordo com pesquisa realizada pela *Academia de Inteligência*, um instituto que dirijo, 92% dos educadores estão com três ou mais sintomas de *stress* e 41% estão com dez ou mais, dos quais se destacam: cefaléia, dores musculares, excesso de sono, irritabilidade. Como eles conseguem trabalhar? Às custas de prejudicar intensamente sua qualidade de vida.

A escola desconsiderou o maior educador do mundo

A educação incorporou muitas teorias, mas não levou em consideração o maior educador do mundo. Se as escolas estudassem e usassem, sem uma bandeira religiosa, a psicopedagogia e os princípios da inteligência do mestre dos mestres, certamente ocorreria uma revolução em sala de aula.

O que é educar? Educar é produzir um homem feliz e sábio. Educar é produzir um homem que ama o espetáculo da vida. Desse amor, emana a fonte da inteligência. Educar é produzir uma sinfonia em que rimam dois mundos: o das idéias e o das emoções.

Se as escolas conhecessem os procedimentos educacionais que Jesus aplicou, elas não apenas formariam um homem saudável, mas teriam professores com mais qualidade de vida.

Infelizmente, quase ninguém mais valoriza os educadores. Entretanto, eles são os profissionais mais nobres da sociedade. Os psiquiatras tratam do homem doente e os juízes julgam os réus. E os professores? Eles educam o homem para que ele não tenha transtorno psíquico e nem se sente nos bancos dos réus. Os professores, embora desvalorizados, são os alicerces da sociedade. Eles precisam ter subsídios para resolver os conflitos em sala de aula, educar a emoção e fazer laboratórios do desenvolvimento da inteligência[III].

Jesus fazia laboratórios educacionais do mais alto nível. Fazia laboratório das funções mais importantes da inteligência, laboratório de superação, laboratório do treinamento do caráter, oficina de psicologia preventiva. Quem andava com ele resgatava o sentido da vida e desejava ser eterno. Quem deseja ser eterno é porque aprendeu a amar a vida, a realçar sua auto-estima e a não gravitar em torno de seus sofrimentos. Essa é uma faceta da inteligência espiritual.

Quando o mestre da emoção dizia: "Amai o próximo como a ti mesmo"[9], ele estava fazendo um excelente laboratório de auto-estima. Se não amar a vida que pulsa em mim, independentemente de meus erros, como vou amar o próximo? Não espere amar as pessoas se você não ama a sua vida. Não espere ser solidário com os outros se você é carrasco de si mesmo.

Jesus sabia ensinar os homens a pensar e a navegar nas águas da emoção. Queria tratar das feridas da alma e cuidar do bem estar das pessoas. Não estava preocupado com a sua imagem social. Corria todos os riscos por causa de um ser humano.

Será que muitos dos que o admiram são capazes de amar o ser humano desse modo? Você compreende que por detrás dos belos sorrisos das pessoas que o rodeiam, há algumas profundamente feridas e que elas não sabem como pedir ajuda?

Ficaremos pasmados ao estudar que mesmo quando estava morrendo, Jesus fazia raios X da emoção das pessoas e se preocupava com elas. O sangue que escorria pelo seu corpo não era suficiente para fazê-lo deixar de se preocupar com cada ser humano. Suas lesões musculares não conseguiam sufocar seu ânimo. Ele tinha uma capacidade irrefreável de amar e refrigerar a emoção humana.

Que título podemos dar a ele senão "O mestre do amor"?

CAPÍTULO 2

Um Príncipe no Caos: Por que Jesus foi um Carpinteiro?

Sua profissão de carpinteiro foi planejada?

Por que Jesus foi um carpinteiro? Fiz-me diversas vezes essa pergunta. Por que ele não foi um agricultor, um pastor de ovelhas ou um mestre da lei? Se tudo na sua vida fora planejado, será que sua profissão era acaso do destino? Certamente que não! Será que ele se tornou um carpinteiro apenas porque essa profissão era humilde e despojada de grandes privilégios sociais?[10]

Depois de pensar em tudo o que ele viveu, depois de analisar sua história detalhadamente, fiquei impressionado e profundamente comovido com as conclusões a que cheguei. Ele foi um carpinteiro porque iria morrer com as mesmas ferramentas com as quais sempre trabalhara. Quem suportaria trabalhar com as mesmas armas que o destruiria?

O jovem Jesus trabalhava diariamente com martelo, com pregos e com madeira. José, seu pai, deve ter alertado diversas vezes o menino Jesus para que tivesse cuidado no uso do martelo, pois poderia se ferir. O menino, de acordo com Lucas, escritor do terceiro evangelho, sabia qual era sua missão, o que indica que ele antevia qual era seu destino. Somente isso explica por que previu claramente a maneira como morreria aos seus íntimos, antes de haver qualquer ameaça no ar.[11]

O menino Jesus sabia que um dia seria ferido de maneira violenta com as ferramentas que manipulava. Toda vez que cravava um prego na madeira, provavelmente tinha consciência de que seus pulsos e seus pés seriam cravados numa cruz.

Maria, uma mãe tão delicada e observadora, devia tirar as farpas de madeira do jovem Jesus. Toda vez que o via ferido, ela devia pedir-lhe que cuidasse melhor de si, pois suas ferramentas eram pesadas e perigosas. Mas, na mente do único jovem que sabia quando e como iria morrer, ele registrava no coração as suas palavras e refletia sobre o drama que o aguardava.

Ao ouvir os conselhos de sua mãe, talvez dissesse: "Obrigado, mãe, pelos seus conselhos. Vou procurar ter mais cuidado". O jovem Jesus poupava Maria, pois sabia que ela não suportaria ouvir sobre seu fim.

O jovem Jesus tinha muitos motivos para ter conflitos

Cada vez que levantava suas mãos e o golpe do martelo nos pregos produzia um estalido agudo, ele tinha de aprender a proteger a sua emoção. Caso contrário, conhecer previamente que morreria impiedosamente e sem anestesia paralisaria sua inteligência. Imagine um adolescente tendo de decidir entre brincar e pensar no seu próprio fim.

Poderia querer evitar trabalhar com martelos, pregos e madeira. Poderia ter uma reação aversiva a tudo que lembrasse seu martírio, mas não o fez. O jovem Jesus tinha todos os motivos para ter uma emoção doente.

A responsabilidade social, o desejo ardente de agradar seu Pai invisível, a preocupação com o destino da humanidade e a consciência do seu caótico fim eram uma fonte estressante capaz de roubar-lhe completamente o encanto pela vida.

Somente por trabalhar com as mesmas ferramentas que iriam produzir-lhe as mais intensas feridas, já era suficiente para produzir zonas de tensão em seu inconsciente, controlar completamente sua personalidade e fazê-lo ser um jovem infeliz e um futuro adulto ansioso e inseguro. Todavia, contrariando as expectativas, Jesus atingiu o topo da saúde psíquica.

Um príncipe da paz

Apesar de ter todos os motivos para ser frágil e angustiado, Jesus tornou-se um homem forte e pacífico. Não tinha medo da morte nem da dor. Ele falava da superação da morte e da eternidade com uma segurança incrível. Era tão seguro que se expunha em situações de risco e não retinha o que pensava.

Nunca alguém teve a coragem de discursar o que ele discursou. A morte é o mais antinatural dos fenômenos naturais. Jesus falava sobre a transcendência da morte como se ele fosse um engenheiro do tempo.[12]

Vamos estudar alguns papéis da memória e algumas áreas do funcionamento da mente para compreendermos alguns motivos pelos quais o homem Jesus não adoeceu em sua alma, mas se tornou um príncipe da paz no caos.

Gostaria que o leitor abrisse as janelas de sua mente para compreender alguns complexos mecanismos psíquicos em um texto sintético. Viajar para dentro da mente humana é uma das viagens mais interessantes que podemos fazer. Procurarei usar uma linguagem acessível.

Os papéis da memória na geração dos conflitos

A memória é como uma grande cidade. Nela há inúmeros bairros que se interligam de maneira multifocal. Ela tem uma parte central, que chamo de MUC (memória de uso contínuo), e uma grande parte periférica, que chamo de ME (memória existencial).

O registro na memória é automático, produzido pelo fenômeno RAM (registro automático da memória). O fenômeno RAM registra todas as experiências que produzimos no palco de nossas mentes e registra de maneira privilegiada as com grande volume emocional, tais como uma ofensa ou um elogio.

Todas as experiências negativas, que contêm medo, insegurança, humilhação e rejeição geram uma zona de tensão na emoção. Se essas zonas de tensão não forem trabalhadas rapidamente, serão registradas na memória se tornando uma zona de tensão da memória. Desse modo, elas ficam disponíveis e podemos produzir uma infinidade de pensamentos fixos sobre elas.

Quando alguém o ofende, você deve rapidamente debelar a zona de tensão da emoção. Você terá menos de cinco segundos para criticá-la, confrontá-la e reciclá-la. Como? Com idéias diretas e inteligentes. Faça isso silenciosamente no palco de sua mente. Se você não atuar, essa tensão emocional será registrada privilegiadamente na MUC, gerando um arquivo ou zona de tensão doentia na memória. Então você pensará milhares de vezes nessa ofensa e na pessoa que o ofendeu. Não é assim que acontece quando alguém nos frustra?

Cada vez que pensamos fixamente em um problema mal resolvido, ele vai registrando-se e expandindo sua zona de tensão nos arquivos da sua história. Aos poucos, formamos inúmeras favelas na grande cidade da memória. Ficamos ansiosos, perdemos a concentração e até o sono. Somos especialistas em causar danos a nós mesmos quando não controlamos as idéias fixas e fatais que produzimos.

Com o passar dos dias ou meses, podemos não nos lembrar dos problemas que tivemos, mas eles não foram embora. Para onde foram? Deixaram os terrenos conscientes da memória de uso contínuo, MUC, e foram para os terrenos inconscientes da memória existencial, ME. Ou seja, deixaram o centro da memória e foram para a periferia. Quando, em algum momento, estimulados por uma imagem ou situação, entrarmos na região periférica onde eles se encontram, podemos ser novamente afetados por eles.

Sabe aquela angústia, humor triste e desânimo que você não sabe de onde veio e nem por que apareceu? As causas são as zonas de tensão na periferia da memória. Você não se recorda delas, mas elas fazem parte do tecido da sua história de vida.

Diversas perdas, ofensas, fracassos, momentos de medo e inseguranças de nosso passado estão armazenados como "favelas" na grande cidade da memória. Aliás, o melhor dos homens tem mais favelas nos seus arquivos inconscientes do que a cidade de São Paulo ou do México.

Algumas dessas favelas estão no centro da memória e, portanto, nos perturbam diariamente, tal é o caso da perda de emprego, um problema que não sai de nossas cabeças ou uma doença obsessiva acompanhada de idéias fixas ligadas a ela. Outras estão na periferia e nos incomodam eventualmente, como experiências traumáticas do passado.

A MUC representa a memória de mais livre acesso, a que mais utilizamos para pensar, sentir, decidir, reagir e nos conscientizar, portanto é a memória consciente. A memória ME é a memória que contém os segredos da nossa história, por isso contém os principais terrenos do inconsciente. Quem estudar e compreender esses mecanismos terá grande vantagem para superar as turbulências da vida e equipar a sua inteligência.

A memória despoluída do jovem Jesus

Jesus poderia ter tanto a memória de uso contínuo (MUC) como a memória existencial (ME) saturadas de zonas de tensão. Se ele não fosse uma pessoa bem resolvida, com elevada capacidade de gerenciar seus pensamentos e reescrever sua história, ele teria uma personalidade cheia de conflitos.

Se ele não tivesse uma habilidade ímpar para debelar as zonas de tensão da emoção, ele poderia ter sido controlado pelo medo e seria uma pessoa extremamente ansiosa e traumatizada. Entretanto, medo não fazia parte do dicionário de sua vida. Além disso, ele era manso e dócil. O mundo podia desabar sobre sua cabeça, mas ele estava sereno.

Certa vez, os seus inimigos quiseram destruí-lo e ele simplesmente passou tranqüilamente por eles.[13] Outra feita, seus discípulos, que sabiam lidar com o mar, estavam com medo do barco afundar devido a uma tempestade. O que ele estava fazendo nessa hora? Dormindo! Mais tranqüilo impossível. Muita gente não consegue dormir nem quando tudo está calmo em sua vida, mas o mestre da vida conseguia dormir num barco prestes a ir a pique.[14]

Há pessoas que ficam bloqueadas intelectualmente depois que sofrem algumas experiências traumáticas, como um acidente, uma perda de emprego, uma humilhação pública, uma separação conjugal. As zonas de tensão da emoção se tornam grandes zonas de tensão da memória.

É possível apagar ou deletar a memória, como alguns psiquiatras e psicólogos clínicos pensam? Não! A memória só se reescreve ou se reedita, mas nunca se apaga, a não ser através de um tumor cerebral, doença degenerativa, traumatismo craniano.

A memória está extremamente protegida. Se você tivesse liberdade para deletar a memória, poderia evitar alguns problemas, mas poderia gerar outros gravíssimos. Poderia destruir o significado das pessoas dentro de você, poderia destruir sua identidade nos dias em que estivesse decepcionado consigo mesmo.

Tal ato geraria um suicídio inimaginável da inteligência. Geraria uma deficiência mental gravíssima. Portanto, depois de registradas as zonas de tensão, a única coisa a ser feita é reeditar com coragem e determinação a memória.

Jesus evitava o registro doentio em sua memória, escolhia o caminho mais fácil e inteligente. É muito mais fácil não criar inimigos do que reescrevê-los nos labirintos de nossas memórias. Havia diversas pessoas que o odiavam, mas ele não odiava ninguém. A sua profissão poderia ter gerado traumas controladores, mas ele trabalhava com suavidade.

Não há regressão pura ao passado.

Quais são as zonas da memória que o controlam? Em que andar do "grande edifício" do seu passado o seu elevador ficou emperrado ou sem luz? Precisamos ir até esses andares. Entretanto, temos de saber que não há regressão pura ao passado, só há o resgate do passado através do "eu" do presente, que representa a consciência que tem de si e do mundo.

Mesmo que esteja num estado pré-consciente, você leva parte da cultura do presente e da habilidade do seu "eu" no encontro com as zonas da sua história, do seu passado remoto.

Quando tomamos o "elevador" e retornamos ao passado, não fazemos regressão pura como alguns pensam. Retornamos com consciência do presente e, desse modo, o reinterpretamos. Se essa reinterpretação for bem feita, reeditamos esse passado.

Não é possível anular o "eu" e a consciência, a não ser pela hipnose, que é uma técnica pouco eficiente para estruturar o "eu" e fazê-lo líder do mundo das idéias e das emoções.

O adequado é investigar o passado sob a liderança do "eu". Quando o "eu" é consciente e lúcido, embora tenha várias dificuldades, pode abrir as janelas da memória que contenham zonas de tensão e reescrevê-las. Assim, deixamos de ser vítimas de nossa história.

Uma boa técnica para reescrever a memória não é só querer penetrar na colcha de retalhos da nossa história, mas atuar nas janelas que se abrem espontaneamente no dia-a-dia. Da próxima vez que você ficar tenso, irritado, intransigente, frustrado, faça um "*stop* introspectivo": pare e pense. Não se decepcione com você. Saiba que você abriu algumas janelas doentias e agora terá uma excelente oportunidade para reeditá-las. Assim, pouco a pouco, você estará livre para pensar e sentir.

Não há liberdade, mesmo nas sociedades democráticas, se o homem não é livre dentro de si mesmo. O grande paradoxo das sociedades politicamente democráticas é que o homem é livre para expressar seus pensamentos, mas freqüentemente vive num cárcere intelectual. Livre por fora, mas prisioneiro por dentro...

Uma memória como um jardim

Vimos que há dois tipos de sabedoria, a inferior e a superior. Agora precisamos ver que há dois tipos de educação, a que informa e a que forma.

A educação que informa ensina o homem a conhecer o mundo em que ele está; a educação que forma vai além, ensina-o também a conhecer o mundo que ele é. A educação que informa ensina-o a resolver os problemas de matemática; a educação que forma vai além, ensina-o também a resolver os problemas da vida. A que informa ensina línguas, a que forma ensina a dialogar. A que informa dá diplomas, a que forma o transforma em eterno aprendiz.

A educação que forma ensina os alunos a desenvolver as funções mais importantes da inteligência, bem como lidar com suas angústias, seus limites, seus conflitos existenciais.

A educação que forma faz uma ponte entre a escola clássica e a escola da vida. Os adolescentes de hoje estão totalmente despreparados para sofrer perdas e frustrações. Porém, pudera, a educação clássica despreza a educação da emoção. Como esperar que naveguem nas águas da emoção se eles nunca foram ensinados a fazer isso?

O adolescente Jesus já possuía uma refinada capacidade de proteger sua emoção contra os focos de tensão. Toda vez que golpeava o martelo, ele não deixava o martelo golpear a sua emoção. Se ela ficava afetada, ele logo descaracterizava a zona de tensão e não se deixava ser consumido pelo pavor e ansiedade. Desse modo, os territórios de sua memória, que deveriam ser um árido deserto, se tornaram um jardim.

Muitos fizeram de suas vidas um imenso deserto. Não

aprenderam a trabalhar seus traumas, suas perdas, suas dores físicas e emocionais. Tais experiências foram registradas de maneira privilegiada, confeccionando a colcha de retalhos da sua história. O mau humor, a ansiedade, a agressividade reativa e a hipersensibilidade que possuem são reflexos de um passado ferido e não tratado. Entretanto, não devemos ficar lastimando nossas misérias e frustrações. Tal atitude é péssima.

Por pior que tenha sido seu passado, ainda que tenha havido violências físicas, emocionais e sexuais, reclamar de suas misérias é a pior forma de superação. Não viva a prática do coitadismo. Critique seu passado, recicle-o, dê um choque de lucidez na sua emoção e reedite os focos de tensão de sua memória.

Como? Aos que querem maiores detalhes, recomendo algumas técnicas que preconizo no livro Treinando a Emoção para Ser Feliz[IV]. Uma delas é o D.C.D. (duvidar, criticar e determinar). Duvide da sua incapacidade, duvide do controle da sua doença. Critique cada pensamento negativo, critique a passividade e o coitadismo do eu. Determine ser alegre, determine ser livre e dê choques de lucidez na sua emoção. Faça essa técnica dezenas de vezes por dia no silêncio de sua mente.

O D.C.D. é uma técnica psicoterapêutica de grande valor, mas ela não substitui a procura, se necessária, de um psiquiatra ou psicólogo clínico.

Nunca tenha medo das suas misérias. Vá aos andares do grande edifício da vida sem receio, com uma postura de enfrentamento.

Sua memória é um jardim ou um deserto? Não espere que as condições sejam ideais para que você possa cultivar um jardim no solo de sua emoção. Nas condições mais adversas podemos cultivar as flores mais belas.

O mestre da vida, desde a sua mais tenra juventude, aprendeu a cultivar, ainda que sob o sol escaldante das pressões sociais, um jardim de tranqüilidade e felicidade no âmago da sua alma. Nas situações mais tensas, os seus íntimos conseguiam sentir o aroma da sua emoção pacífica e serena. Não permitia que nada nem ninguém viesse roubar-lhe a paz.

Como os ataques do pânico e as drogas geram as doenças psíquicas

Inúmeras pessoas no mundo todo são vítimas da síndrome do pânico. Os ataques de pânico são caracterizados por medo súbito de desmaiar ou morrer, acompanhados de taquicardia, aumento da freqüência respiratória, suor excessivo e outros sintomas. Os ataques de pânico geram intensas zonas de tensão na emoção, que, por sua vez, se não forem bem trabalhadas rapidamente, produzem dramáticas zonas de tensão da memória.

Essas zonas de tensão ficam disponíveis em região privilegiada da memória. Quando um novo ataque de pânico é disparado, abre-se uma janela, expõe-se a zona de tensão nela contida e reproduz-se novamente a sensação fóbica ou de medo. Essa experiência é registrada de volta, expandindo as "favelas" doentias do inconsciente.

A síndrome do pânico gera o teatro virtual da morte. Ela traz um enorme sofrimento, capaz de controlar completamente a vida de pessoas lúcidas e inteligentes. Entretanto, não é difícil resolver a síndrome do pânico, mesmo que tenha havido tratamentos psiquiátricos com insucesso. Já tratei de vários pacientes resistentes. O segredo está em enfrentar os focos de tensão, desafiar o medo e reeditá-lo e não apenas tomar antidepressivos.

Uma das características admiráveis de Jesus era que ele

enfrentava as situações estressantes sem temor. Não fugia dos seus inimigos, não tinha medo de ser questionado, não tinha receio de entrar em conversas delicadas e, muito menos, de usar as ferramentas que um dia o destruiriam.

Enfrente seu medo e desafie-o e você verá que o monstro é menor do que você imagina. Dê as costas ao seu medo e ele se tornará um gigante imbatível. Sabe qual é o pior matemático do mundo? O medo. Ele sempre aumenta o volume dos problemas. Por isso é tão importante não sermos passivos, mas darmos um choque de lucidez em nossas emoções.

As drogas e o romance no inconsciente

Lembro-me de uma jovem que atendi num hospital psiquiátrico em Paris. Ela era dependente de heroína e estava em tratamento. Ao atendê-la, mostrei-lhe que à medida que ficou dependente, o problema não era mais a droga fora dela, mas a imagem da droga registrada em seu inconsciente[V].

Enquanto discorria sobre esse assunto, abri uma revista para mostrar-lhe algo e, de repente, ela viu uma imagem de pó, semelhante à droga que usava. Ao olhar para aquela imagem, o gatilho da memória foi detonado e abriu-se uma janela do inconsciente que continha experiências com a heroína. Ela leu-a instantaneamente e a associou com a droga e ficou angustiada. Todo esse processo operou-se em frações de segundos.

Assim, ela entendeu que sua maior batalha não era eliminar a droga fora dela, mas terminar o romance dentro dela, reescrever essa imagem em sua memória. Somente reeditando o filme do inconsciente ela poderia romper o cárcere da emoção.

É muito melhor prevenir que se criem registros doentios na MUC e na ME[VI], pois ao serem registrados, a tarefa de reeditá-los é complexa e demanda tempo, paciência e perseverança.

A atitude do menino e, posteriormente, do jovem e do adulto Jesus de proteger a sua emoção e não fazer do seu inconsciente uma lata de lixo reflete a mais eficiente psicologia preventiva. Infelizmente muitos psicólogos ainda não o descobriram. Ele era feliz na terra de infelizes, era tranqüilo na terra da ansiedade. Na cruz, ele teve reações capazes de deixar pasmado qualquer pesquisador científico. Contudo, as suas reações incomuns eram um espelho do que ele foi e viveu desde sua mais tenra infância.

Ninguém deve desanimar por ter registrado vários conflitos em sua memória. O que se deve saber é que não há milagre para superar os conflitos de nossa personalidade. Às vezes, reurbanizamos algumas favelas da memória, mas sempre há outras na periferia que nos fazem ter recaídas.

O importante é nunca desistir da vida. Não seja imediatista. Nunca se decepcione com você a tal ponto que você deseje não mais caminhar. Mesmo com lágrimas é preciso continuar a reescrever a imagem da droga, humor deprimido, conflitos, enfim, tudo que obstrui nossa inteligência e nos impede de ser livres. Quando você menos espera, despoluirá seus rios, iluminará suas ruas, construirá praças e será uma pessoa mais feliz.

Todos estamos doentes no território da emoção

Não há uma pessoa nesta terra que não esteja doente no território da emoção. Uns mais e outros menos. Uns manifestam seus conflitos e outros ficam represados. Mas todos temos, em diferentes graus, dificuldades de administrar nossos pensamentos. Quem consegue gerenciar plenamente seus sentimentos e ser senhor de sua emoção?

O maior doente é o que não reconhece a sua fragilidade. Cuidado! Como disse, temos no máximo cinco segundos para criticar silenciosamente as zonas de tensão da emoção e não permitir que elas se tornem matrizes doentias na memória e, conseqüentemente, evitar que gerem idéias fixas.

Não deixe que as ofensas estraguem seu dia. Não permita que os fracassos façam de você uma pessoa tímida e inferiorizada. Não se puna diante dos seus erros. O sentimento de culpa deve ter uma dose suficiente para fazê-lo reconhecer as suas falhas e mudar suas rotas. Atenção! Se o sentimento de culpa for exagerado, ele paralisará sua emoção e o controlará.

Podemos inferir, do ponto de vista psicológico, que Jesus passou pelo mais dramático e contínuo estado de *stress* que um ser humano pode passar. Portanto, era de se esperar que quando ele abrisse a boca, aparecesse um homem radical e agressivo, mas eis que apareceu um homem extremamente gentil e agradável.

Era crível que surgisse um homem que desse pouco valor à vida, mas eis que apareceu alguém que gostava de olhar os lírios do campo. Era previsível que fosse gerado um revoltado, um especialista em reclamar e julgar os outros, mas eis que surgiu um homem, dizendo: "Felizes são os misericordiosos, porque alcançarão a misericórdia".[15] Quem é esse que exala gentileza na terra árida pelo *stress*?

A galofobia de Pedro

Jesus disse que Pedro o negaria três vezes antes que o galo cantasse duas vezes.[16] Foi exatamente isso que aconteceu. Pedro era uma pessoa forte e realmente amava seu mestre, mas não se conhecia. Cometemos muitos erros quando não nos conhecemos.

Quem controla o território de leitura da memória é a emoção. Se ela estiver ansiosa e apreensiva, fecham-se as janelas da memória, impedindo a pessoa de pensar com liberdade.

Pessoas com raciocínio brilhante passam vexames porque bloqueiam sua memória nos focos de tensão. Quando estão em suas casas, produzem idéias profundas, mas, quando estão em público, travam sua inteligência. Por quê? Porque a tensão emocional bloqueia os campos da memória.

Pedro jamais pensou que o medo conspiraria contra sua capacidade de pensar. Quando disse que morreria com Jesus, se fosse necessário, estava sendo sincero. Contudo, causamos constrangimento quando não entendemos nossos limites. Quando Pedro viu seu mestre sendo espancado e não reagindo, essa imagem foi até seu córtex cerebral, fez uma leitura rapidíssima da memória, gerou um medo súbito, que bloqueou sua capacidade de pensar. Quem de nós não foi vítima desses mecanismos?

Pedro negou veementemente seu mestre. Estava ofegante e desesperado. Ao negá-lo pela terceira vez, o galo cantou. Ele registrou duas experiências que se fundiram no seu inconsciente: a sua negação e o canto do galo. A imagem do galo ficou superdimensionada em sua memória, pois foi associada ao maior erro de sua vida. Desse modo, provavelmente, adquiriu uma galofobia: medo exagerado do canto dos galos.

Toda vez que ouvia o galo cantar, ele entrava em crise, pois associava o canto à negação do seu mestre. Talvez os galos de Jerusalém tenham começado a lhe causar insônia. Seu canto abria as janelas da memória que continham a imagem de sua negação, acelerando seus pensamentos e impedindo-o de entrar num estágio inconsciente e adormecer. A galofobia perturbava- o.

Essa história, aparentemente engraçada, tem mecanismos que nos atingem. Que tipo de fobia perturba sua emoção, controla a leitura de sua memória e engessa sua capacidade de pensar? Algumas mulheres têm pavor de barata. Não têm medo de enfrentar o mundo, mas a imagem de uma barata controla a sua inteligência.

Jesus sempre foi um excelente psicoterapeuta. Ele sabia que Pedro ficaria traumatizado. Com seu olhar afetivo no momento da terceira negação, amenizou a zona de tensão da emoção do seu discípulo. Dias depois, ao perguntar categoricamente e por três vezes se Pedro o amava, Jesus, com grande habilidade, ajudou-o a reeditar as três vezes que ele o negou, asssunto do próximo livro dessa coleção: "O Mestre Inesquecível"[VII].

Os inumeráveis problemas do mestre da vida, ao invés de produzir um homem saturado de conflitos, geraram um excelente médico da alma. Homem multifocalmente inteligente e emocionalmente saudável.

Preparando seus íntimos para suportar o inverno emocional

O dilema entre falar e não falar aos discípulos sobre o modo como morreria envolvia os pensamentos de Jesus Cristo. Se falasse secamente, poderia gerar um transtorno obsessivo em sua mãe e em seus discípulos. Se optasse pelo silêncio, eles ficariam totalmente despreparados para suportar seu drama. Nuvens de dúvidas poderiam pairar sobre a fé deles e atormentá-los.

Ele optou por falar, mas sem alardes, sobre o seu desterro final.[17] Falou por pelo menos quatro vezes. Comentou o suficiente para que eles pudessem ter uma leve consciência do seu caos, mas não sofressem por ele.

Alguns gostam de comentar seus problemas para que todos girem em torno deles. Outros se calam, sua história e suas dificuldades são segredos de estado. Jesus era equilibrado, falava serenamente de coisas com alto volume de tensão.

O mestre da vida trabalhou no inconsciente dos seus discípulos sem que eles percebessem. Fez um trabalho psicológico magnífico. Ele os preparou não apenas para a primavera da ressurreição, mas para o inverno rigoroso da cruz.

Você trabalha no inconsciente dos seus filhos e os prepara para que eles suportem as turbulências da vida? Você trabalha na mente dos seus funcionários e os prepara não apenas para o sucesso, mas também para os tempos de dificuldades?

Um bom líder corrige erros, um excelente líder previne-os. Um bom líder enxerga o que está à sua frente, um excelente líder vê além do que está diante dos seus olhos.

Um excelente observador da psicologia: um escultor da alma humana

Jesus foi o mestre dos mestres da escola da vida, uma escola em que muitos psiquiatras, psicólogos e executivos são pequenos aprendizes. Nessa escola, ele primeiramente entalhou em si mesmo as mais belas esculturas da paciência e da tolerância. Quando menino, ele crescia em estatura e sabedoria.[18] José e Maria admiravam esse jovem intrigante.

A capacidade de observação dos fenômenos sociais e ambientais de Jesus era espetacular. A rapidez de raciocínio era impressionante. A sua capacidade de síntese e objetividade na confecção de suas idéias era espantosa. Com uma simples frase, tal como: "Quem não tem pecado, atire a primeira pedra", dizia inúmeras coisas e causava uma revolução em seus ouvintes.

As histórias que contava tinham tantos detalhes em tão poucas palavras que somente um excelente observador dos eventos da vida e com uma mente privilegiada poderia elaborá-las. Dizia: "Observai as aves do céu..." [19]; "Olhai os lírios dos campos..." [20]; "Um semeador saiu a semear..." [21]. O mestre da vida foi um dos maiores contadores de histórias de todos os tempos, com a vantagem de que suas histórias mudavam a rota de vida das pessoas. Ele atraía e educava seus ouvintes.

Jesus não apenas viveu o mais intenso teste emocional ao trabalhar com as mesmas ferramentas que o destruiriam, ele também foi um carpinteiro porque sua profissão era um símbolo da sua atuação como escultor da alma humana

Todos os dias ele saía em busca de novas toras. Sem empilhadeiras e transportes automotivos, tinha de colocá-las nos carros de tração animal. Seus braços deviam transportar peças pesadas. Sua pele devia estar sempre esfolada pelas peças que deslizavam imprevisivelmente.

Sem serra elétrica e ferramentas de precisão, o carpinteiro de Nazaré dava inúmeros golpes com a lâmina de entalhar para atingir o diâmetro e o comprimento necessários das peças de madeira. A fricção constante gerada pelo peso dos martelos e pelos golpes produzia inúmeras lesões vésico-bolhosas. Com o decorrer do tempo, a pele de suas mãos deve ter engrossado.

O mestre engrossava suas mãos enquanto refinava sua arte de pensar e amar. Enquanto encaixava as peças de madeira, analisava atenta e embevecidamente as reações e os pensamentos dos que o cercavam.

Temos pouquíssimos relatos sobre o que ocorreu dos doze aos trinta anos na vida de Jesus. Mas o corpo das idéias e conceitos que ele expressou sobre a natureza humana a partir dos trinta anos revela que ele foi um excelente observador da psicologia. Não espere ser profundo se os olhos da sua alma enxergam pouco. A visibilidade do mestre era grande.

O homem Jesus vazava os comportamentos humanos e analisava as causas que os sustentavam. Percebeu que o ser humano estava doente em sua alma. Doente pela sua impaciência, rigidez, intolerância, dificuldade de contemplar o belo, incapacidade de se doar sem esperar a contrapartida do retorno.

Certa vez, os fariseus indagaram por que ele se envolvia com pecadores e pessoas eticamente reprováveis. Jesus fitou-os e desferiu uma palavra certeira: "Os sãos não precisam de médicos e sim os doentes".[22]

O mestre da vida compreendeu as limitações humanas. Entendeu que o homem domina o mundo de fora, mas não tem domínio do seu próprio ser. Roma dominava o mundo, mas os generais e imperadores romanos eram dominados pela sua emoção arrogante.

Somente alguém que conheceu as limitações humanas em suas raízes mais íntimas poderia amar incondicionalmente o ser humano numa sociedade saturada de preconceitos e discriminações. Somente alguém que penetrou nas entranhas da alma poderia perdoar e dar tantas chances quantas fossem necessárias para alguém começar tudo de novo.

Em uma terra de exclusão, Jesus Cristo acolheu. Em um ambiente social onde os homens queriam estar acima dos outros, ele só admitiu estar acima das pessoas quando cravado sem piedade na cruz.

Ninguém foi tão grande como ele e ninguém soube se fazer tão pequeno. A grandeza de um empresário ou de um político não está nos jornais que a noticiam, mas na sua capacidade de se fazer pequeno para compreender as dificuldades humanas.

Um pai nunca será um grande pai se não aprender a se curvar e penetrar no mundo dos seus filhos. O mestre do amor se fez pequeno para tornar grandes os pequenos.

Você consegue se fazer pequeno para alcançar as pessoas que não têm o seu nível intelectual ou sua experiência de vida? Não adianta criticá-las. A crítica seca angustia e controla a abertura da memória a quem ela é dirigida. É necessário valorizá-las. Valorize-as e elas abrirão as janelas de sua mente. Assim, suas palavras arejarão a emoção de cada uma.

Laboratórios de imersão: as excelentes técnicas pedagógicas

Enquanto andava com os seus discípulos, o mestre do amor fazia diversos laboratórios para imergi-los em um treinamento capaz de mudar as suas vidas. Ele não ficava no discurso, mas criava situações ou usava as circunstâncias para que seus discípulos fizessem laboratório de auto-estima, de superação, de trabalho em equipe e para arejar o inconsciente.

Jesus usou de todas as formas para trabalhar na alma humana. Escolheu a estirpe menos recomendável de homens para lapidá-los. O mestre permitia, às vezes, que seus discípulos ficassem em apuros para que revelassem as zonas de tensão doentias de suas memórias. Quando isso acontecia, surgia uma oportunidade preciosa para que reeditassem o filme do inconsciente.

Quando Pedro disse a um oficial romano que seu mestre pagava imposto sem consultá-lo, Jesus perguntou-lhe: "O filho do rei paga imposto?".[23] Pedro disse que não. Perplexo, ele entendeu que seu mestre era o filho do Autor da vida. Por isso, ficou decepcionado consigo mesmo, pois mais uma vez reagira sem pensar.

Jesus delicadamente fez mais um laboratório para Pedro aprender a pensar antes de reagir. Pediu para que fosse pescar e disse que no primeiro peixe que pegasse encontraria uma moeda para pagar o imposto para ele e para si. Pedro ficou pasmado. Era um especialista em pescar e nunca retirara uma moeda de um peixe. Enquanto pescava, ele refletia, penetrava nas favelas de sua memória e as reurbanizava. Dessa maneira, a cada laboratório, era lapidada um pouco mais a pedra bruta da sua personalidade.

O resultado? O apóstolo Pedro se tornou um homem tão inteligente e gentil que suas duas cartas refletem um tratado de psicologia social. Elas destilam sabedoria e contêm textura literária, compreensão das dores humanas e dos conflitos existenciais. Ele, que não sabia suportar sofrimento ou *stress*, estimulou seus leitores a não ter medo das dores da existência, mas a superá-las com coragem, sabendo que elas transformam a alma como o fogo purifica o ouro.

Esculpindo a alma humana na escola da vida

Em uma terra em que os sentimentos humanos estavam embotados e as pessoas não aprendiam a arte de pensar, Jesus fez laboratórios da sabedoria. Ao andar com ele, os insensíveis se tornavam poetas, os agressivos acalmavam as águas da emoção, os incultos se tornavam pensadores.

Quando o mestre da vida dizia: "Felizes os mansos porque herdarão a terra" [24], ele queria revelar que a violência gera violência, e que todo opressor um dia será derrubado pelos oprimidos. Evidenciava que os territórios do seu reino, ao contrário do que ocorreu até hoje na história, são conquistados pela mansidão.

João, o mais jovem dos discípulos, era aparentemente muito amável, mas de fato sua emoção era explosiva e saturada de preconceitos. Certa vez, sugeriu a Jesus que destruísse com fogo algumas pessoas que não andavam com ele[25]. Se o mais amável dos discípulos queria destruir os que não faziam parte do seu grupo, imagine o que se poderia esperar dos outros.

O mestre do amor, sempre dócil, ouvia os absurdos dos seus discípulos e, pacientemente, trabalhava nos becos da alma bruta e inumana deles. Ele esculpiu a emoção de João. O resultado? João se tornou o poeta do amor. Nos últimos momentos de sua vida, escreveu palavras que testemunham o quanto ele amava cada ser humano.

Talvez você aprecie trabalhar com as pessoas de fácil relacionamento. Talvez você quisesse ter filhos menos complicados, alunos menos problemáticos, colegas de trabalho mais receptivos e abertos. Todavia, nunca se esqueça de que muitos cientistas e homens de sucesso da atualidade foram, no passado, pessoas muito difíceis. Por que tiveram sucesso? Porque alguém investiu neles. As pessoas mais problemáticas poderão ser as que mais lhe darão alegrias no futuro.

O mestre da vida preferiu trabalhar as pessoas difíceis para mostrar que vale a pena investir no ser humano. Ele trabalhou pacientemente nas pessoas consideradas escórias da sociedade e eles, a exceção de Judas, aprenderam a arte de amar. Ensinou-lhes que nas pequenas coisas se escondem os mais belos tesouros.

Conduziu-os a despir suas máscaras sociais e a descobrir que a felicidade não está nos aplausos da multidão nem no exercício do poder, mas nas avenidas da emoção e nas vielas do espírito. Os discípulos abandonaram Jesus no momento em que ele mais precisava deles. Ele isso previu e não reclamou. Um dia eles regressaram e se tornaram mais fortes.

Você cuida delicadamente da vida por compreender que ela é breve como uma gota que se evapora ao sol do meio-dia? Não fique entulhado com seus problemas e nem saturado pelo sistema social! Invista na sua vida e na dos outros.

Esse é o único investimento que ganha sempre, mesmo quando perde. Ainda que as pessoas de quem você carinhosamente cuidou o abandonem, como seus filhos e amigos, um dia elas voltarão, pois as sementes tardam, mas não deixam de germinar. Confie nas sementes.

CAPÍTULO 3

UMA
HUMANIDADE
INIGUALÁVEL

Um homem fascinante

Muitos amam os feitos sobrenaturais de Jesus, exaltam seu poder divino, mas não conseguem enxergar a exuberância de sua humanidade. O homem Jesus era um especialista em captar os sentimentos mais ocultos escondidos nos gestos das pessoas, mesmo das que não o seguiam. Às vezes não conseguimos captar os sentimentos das pessoas mais íntimas, que dirá das distantes.

Os paradoxos que cercavam o mestre da vida nos deixam boquiabertos: por um lado dizia ser imortal, por outro apreciava ter amigos temporais; por um lado falava sobre a pureza dos oráculos de Deus, por outro estendia as mãos às pessoas eticamente falidas; por um lado era capaz de ressuscitar uma criança, por outro lado escondia seu poder pedindo aos pais dessa criança que lhe dessem de comer.

Muitos têm dinheiro e fama, mas são pessoas comuns por dentro. Jesus, embora famosíssimo, era comum por fora e especial por dentro. Vivemos a paranóia da fama nas sociedades modernas. Os jovens sonham em ser atores, atrizes, esportistas, cantores, famosos. Contudo, as pessoas não conhecem as seqüelas emocionais que a fama mal trabalhada pode causar.

A fama conspira muito mais contra o prazer de viver do que o anonimato. A grande maioria das pessoas famosas é mais infeliz e ansiosa do que quando era desconhecida. Elas freqüentemente perdem a singeleza da vida e se aprisionam numa bolha de solidão, ainda que rodeadas por uma multidão. A paranóia da fama é doentia. Procure ser especial por dentro, deixe que os aplausos venham naturalmente, mas não viva em função deles.

Financeiramente rico, mas emocionalmente triste

Um dia um homem riquíssimo e famoso resolveu executar um grande sonho: cultivar um jardim com plantas do mundo inteiro. Queria ter o prazer de chegar do trabalho e contemplá-las. Chamou os melhores paisagistas do mundo. Plantou todo tipo de flores. Tudo era tão lindo! Então, depois de tudo pronto, ele voltou à rotina dos seus problemas. Como tinha muitas atividades e preocupações, pouco a pouco perdeu o encanto pelo seu jardim.

Perturbado, começou a observar que seu jardineiro cantarolava enquanto cuidava das flores. Chocado, entendeu que a beleza está nos olhos de quem a vê. De nada adiantava ser dono do jardim se ele não administrava sua emoção para contemplá-lo. De nada adiantava ter milhares de flores se seus pensamentos não se aquietavam para perceber o perfume delas. Começou a rever seu estilo de vida, pois compreendeu que seu jardineiro, embora tivesse uma pequena conta bancária, tinha uma alta conta emocional. Era mais feliz que ele.

Há homens milionários que têm caseiros, jardineiros e mordomos emocionalmente mais ricos que eles.. Principalmente quando trabalham com prazer e conseguem extrair o belo nas pequenas coisas da vida. Muitos homens de sucesso freqüentam os consultórios de psiquiatria. Tiveram sucesso financeiro, social, intelectual, mas se auto-abandonaram, não tiveram sucesso em ver dias felizes e tranqüilos.

A fama batia à porta do homem Jesus, mas ele a desdenhava. Jamais perdeu a simplicidade e o encanto pela vida. Onde está a prova disso? A prova está em que mesmo no auge da fama, ele ainda conseguia fazer de um lírio do campo um espetáculo aos seus olhos. A prova também está na sua sociabilidade e espontaneidade. Ele almoçava e jantava prazerosa e freqüentemente na casa das pessoas, mesmo das que não conhecia.[26]

Jesus Cristo rimava na sua personalidade a gentileza e a segurança, a eloqüência e a simplicidade, a glória e o anonimato, a grandeza e os gestos humildes. Enfrentava o mundo para defender o que pensava, mas, ao mesmo tempo, conseguia chorar sem reservas diante dos outros. Ele atingiu o topo da saúde psíquica. Sua humanidade foi inigualável.

Você consegue reunir na sua personalidade a gentileza e a segurança? Você é uma pessoa sociável a tal ponto que contagia os outros com sua simplicidade e espontaneidade? Às vezes nem nossos sorrisos são espontâneos e freqüentes.

Precisamos aprender com o mestre da vida a viver saudavelmente no solo dessa sinuosa existência. Precisamos deixar de lado nossos títulos acadêmicos, nossa conta bancária e nossa responsabilidade social e aprender a ter prazer em nos relacionarmos com as pessoas com espontaneidade e flexibilidade.

Uma das piores coisas que um psiquiatra ou psicólogo pode cometer contra si é continuar sendo um profissional de saúde mental fora do ambiente do consultório. Ele esmaga seu encanto e sua singeleza pela vida.

Prazer em ser um homem

Bilhões de pessoas admiram profundamente Jesus Cristo, mesmo os budistas e os islamitas. Contudo as pessoas querem um Cristo nos céus, mas não percebem que ele amava ser reconhecido como filho do homem.

O mais sobrenatural dos homens amou a naturalidade. Ajudou a todos com seu poder, mas recusou-se a usá-lo quando foi julgado e crucificado. Quis ser um homem até esgotar a energia de todas as suas células e ter nas matrizes de sua memória todas as experiências humanas. Quanto valorizamos nossa humanidade?

Jesus foi infeliz por ter vivido uma agenda com as mais complexas experiências humanas? Não! Experimentou momentos de extrema tensão e angústia. Contudo, os problemas não o controlavam, ele controlava seus problemas. As frustrações não o dominavam, ele dominava as frustrações...

O mestre sabia aquietar a sua alma e extrair muito do pouco. Dormia quando todos estavam agitados e estava alerta quando todos estavam dormindo. Sua emoção não era vítima das circunstâncias, por isso era calmo mesmo quando o mundo desabava sobre si. Discursava sobre a fonte da alegria, mesmo quando havia inimigos para prendê-lo.[27]

Quantas vezes somos escravos das circunstâncias... Nossa emoção, movida pelos nossos problemas, parece um pêndulo atirado de um lado para o outro. Se você não é muito alegre, mesmo tendo motivos para sê-lo, então necessita repensar alguns pilares da sua vida.

O homem Jesus considerava a vida como um espetáculo

Jesus era o mestre do amor porque ele considerava cada ser humano como um ser especial e não apenas mais um número na multidão. O homem era belo aos seus olhos! Ao abraçar as crianças, ele inspirava sua inteligência e convidava todos os adultos a ser pequenos alunos na escola da vida, como elas.

Se você nunca gastou horas contemplando as reações de uma criança, então não conheceu um dos maiores prazeres humanos, o prazer de se encantar com a própria vida. Se não conseguir se encantar com os segredos que cercam o funcionamento da mente de uma criança, dificilmente terá tempo e habilidade para admirar sua própria vida.

Faça uma pausa e observe o admirável mundo dos pensamentos e emoções. Como pensamos? Como penetramos no escuro da memória em milésimos de segundos? Como encontramos em meio a bilhões de opções os elementos que confeccionam as cadeias de pensamentos? Como temos certeza de que os verbos que empregamos na construção das idéias são exatamente os que queríamos utilizar?

O mundo dos pensamentos contém fatos insondáveis. A ciência nunca conseguirá desvendá-los completamente. Por quê? Porque todo pensamento sobre os fenômenos que estão contidos no pré-pensamento, ou seja, que formam o pensamento, já é um pensamento elaborado e nunca o pré-pensamento em si.

Quando os homens explorarem intensamente o imenso espaço e o pequeno átomo e tiverem tempo para voltar para dentro de si, eles compreenderão que a ciência terá limites exploratórios. Os maiores mistérios não estão no espaço, mas no espírito humano. As maiores dúvidas científicas não estão na origem do universo, mas na origem da inteligência, na construção das mais simples idéias. Imagine que quando uma criança pensa, mesmo que esteja abandonada nas ruas, ela realizou um feito mais complexo do que todas as pesquisas de Harvard.

Você fica assombrado quando observa as pessoas pensando, sentindo e trocando experiências nas relações sociais? Os programas da Microsoft são sistemas arcaicos comparados aos fenômenos que nos fazem produzir os momentos de alegria e tristeza, tranqüilidade e ansiedade. A sua inteligência, como a de qualquer ser humano, é espetacular. E ainda que você tenha muitos defeitos nunca se diminua diante de ninguém. Toda discriminação é inumana e desinteligente.

Na época de Cristo, os leprosos eram banidos da sociedade. Os cães eram seus amigos. Todavia, o despojamento de Jesus era tão grande que ele conseguia dar tanta ou mais atenção a um leproso do que a um fariseu. Por quê? Porque ninguém era maior ou menor do que ele. Não fazia isso porque era apenas um homem caridoso, mas porque via a grandeza da vida. Por vê-la, era capaz de dar a umas prostitutas o *status* de ser humano, chamando-as de "mulher".[28] Se você nunca vir a grandeza da vida, dificilmente conseguirá honrar pessoas desprivilegiadas.

É lamentável percebermos que muitas pessoas vivem suas vidas com banalidade, diminuindo umas às outras, medindo-se pela conta bancária, diplomas acadêmicos e *status* social.

Se você encontrar o presidente do seu país atravessando a rua e próximo dele estiver uma criança desprotegida socialmente, aperte primeiro as mãos dela. Ela é tão importante quanto ele e precisa mais de você. Precisamos honrar solenemente o espetáculo da vida.

Sem amor a vida não tem sentido

Um dia um pai trouxe-me um filho que estava com depressão e com problemas de farmacodependência. Eles moram nos EUA. Viajaram milhares de milhas para procurar ajuda.

Quando lhe perguntei por que ele veio de tão longe para tratar do seu filho se em seu país há excelentes psiquiatras, ele me interrompeu dizendo que viajaria o mundo todo para que seu filho pudesse ser feliz e tivesse êxito na vida. Ele havia lido um dos meus livros e queria que eu o ajudasse.

O que faz um pai cometer atos desesperadores para ajudar um filho? Se nossa mente fosse limitada como a de um computador, certamente eliminaríamos nossos filhos problemáticos, dependentes ou deficientes. Contudo, quanto mais dificuldades eles têm, mais criamos vínculos e os amamos.

Recentemente, um pai me disse que tinha uma filha deficiente mental. Ela era alegre e sociável, embora tivesse dificuldade de construir pensamentos complexos devido à deficiência de armazenamento de informações na memória. Os pais e dois irmãos a amavam intensamente e cuidavam dela com o maior carinho. Um dia ela faleceu.

Ao morrer, parte da vida deles entrou em colapso. Por quê? Porque o amor imprime a imagem dos nossos íntimos nas raízes de nosso inconsciente. Sua babá acordava de madrugada e levava a mamadeira como sempre fazia. Esquecia-se de que ela tinha partido.

As pessoas falecem, mas o amor faz com que continuem vivas dentro de nós. Sem amor, que sentido tem a vida? O homo sapiens é uma espécie admirável não apenas porque produz ciência e tecnologia, mas principalmente porque tem uma emoção capaz de amar. O amor nos faz cometer atos ilógicos para cuidar e proteger quem amamos.

Pense nisso. Ninguém proclamou de maneira tão altissonante sobre o amor como Jesus, mas o que sentia Deus quando via seu filho agonizando na cruz? O que eles viveram nesses momentos ultrapassa os limites da investigação psicológica. Eles sofreram intensamente por amor. O amor os controlava.

Só o amor nos faz cometer atos impensáveis. Se Deus fosse um mega computador, nunca permitiria que seu filho morresse na cruz em favor do homem. O amor, simplesmente ele, fez com que os dois personagens mais importantes do universo cometessem atos ilógicos para resgatar quem amavam.

O mestre do amor queria ensinar aos homens a principal arte da inteligência e a mais difícil de ser aprendida, a arte de amar. Para aprendê-la, era necessário cultivar a contemplação do belo, a tolerância, a capacidade de perdoar e a paciência. Amar é uma palavra fácil de falar, mas difícil de viver. Muitos não têm nem mesmo reservas para amar a si mesmos, que dirá as pessoas de fora. Mas, sem amor, que sentido tem a vida?

Ele renova as esperanças, reanima a alma, reaviva a juventude da emoção. Quem não ama envelhece precocemente sua emoção, o que é grave. Quem ama, ainda que esteja num asilo, vive na primavera da vida. Se você aprender a amar, será um eterno jovem, mesmo se for um idoso. Caso contrário, será um velho mesmo se for um jovem.

O quanto você ama seu trabalho, indica o quanto você se

dedica e tem prazer nele. O quanto você ama sua vida, indica o quanto você tem sentido de vida e investe nela. Pare para observar a vida. Aprenda alguns segredos com o mestre do amor.

Um homem que provocava suspiros

Roma dominava muitas nações. Tibério César era o senhor do mundo. O domínio de Roma sufocava a alma de cada judeu. As pessoas quase não tinham pão na mesa nem pão da segurança na alma. Israel nunca aceitou ser subjugado por qualquer outro povo. No passado, o povo de Israel já havia pagado um alto preço para sair do jugo do Egito.

Foram quarenta anos de caminhada em busca da terra dos seus sonhos. Canaã era mais que chão, significava mais do que uma terra de onde manava leite e mel, era um lar para descansar a alma. Israel ainda era uma frágil fagulha, mas preferiu o calor do deserto à servidão a Faraó. Preferiu o calor do sol à sombra de um teto que não era seu.

Mas agora, chegaram tempos difíceis. O domínio do império romano era um corpo estranho que penetrava no interior de cada casa dos judeus. O medo fazia parte da rotina daquele povo. Ninguém falava de outra coisa a não ser de Roma e de César. Então, de repente, surgiu sorrateiramente um carpinteiro e foi ocupando o cenário físico e emocional das pessoas.

Pouco a pouco elas não falavam de outra coisa, a não ser do homem Jesus. Ninguém sabia direito quem ele era. Só sabiam que suas palavras provocavam suspiros ao coração e seus gestos lubrificavam os olhos. Um carpinteiro penetrou nas vielas do pensamento dos judeus e se tornou a pauta principal do noticiário de Jerusalém.

Pessoas de culturas, origens e dogmas religiosos diferentes se espremiam para tocá-lo ou ouvi-lo. Jerusalém fervilhava de gente. Ele revelou-se ao mundo em um curto espaço de tempo: três anos e meio, mas foi o suficiente para se tornar inesquecível. A terra ficou mais colorida desde que ele pisou neste planeta azul.

O plano macrossocial de Cristo incluía não apenas um reino eterno vindouro, mas também cuidar da miséria social e irrigar a emoção do ser humano com um prazer inesgotável. O carpinteiro que entalhou madeira foi artesão da mais excelente sabedoria.

Ele era tão desprendido da necessidade de poder que estimulava seus discípulos a fazer obras maiores do que as dele. Não apenas líderes políticos, acadêmicos, mas também religiosos gostam de controlar os outros para que ninguém os supere, mas Jesus estimulou seus discípulos a superá-lo em ajudar as pessoas e aliviar a dor humana..

Algumas mulheres ficavam tão emocionadas ao conhecê-lo que não sabiam como agradecê-lo. Então, num gesto ímpar, choravam e beijavam os seus pés. Os fariseus, destilando malícia em seus pensamentos, reprovavam-nas e criticavam-no por permitir tal ato infame e comprometedor. Jesus sabia que as lágrimas e os beijos teciam uma linguagem insubstituível para expressar os mais nobres sentimentos.

Ah! Se soubéssemos amar como ele nos ensinou! Se os pais dessem menos brinquedos para seus filhos e mais seu ser e sua história, teríamos mais alegria e menos solidão nos pequenos espaços dos lares modernos! Se os professores dessem menos informação e gastassem mais tempo penetrando na alma e educando a emoção dos seus alunos, teríamos menos conflitos nos pequenos espaços das salas de aula!

CAPÍTULO 4

A COMOVENTE TRAJETÓRIA EM DIREÇÃO AO CALVÁRIO

O maior educador do mundo não precisava de lousas, endereço fixo nem de tecnologia para atrair as pessoas. Jesus provocava suspiros enquanto falava. Seu falar inspirava a sensibilidade de todos que o ouviam.

Milhares lotavam as hospedarias, não poucos dormiam ao relento. A multidão estava inquieta esperando o sol raiar para vê-lo ou ouvi-lo. Mas, para a surpresa de todos, ele estava sofrendo um julgamento relâmpago.

Vimos no livro anterior dessa coleção, "O Mestre da Vida", que ele foi preso secretamente e julgado à surdina da noite.[29] Nas primeiras horas do dia o veredicto final já havia sido dado.

De agora em diante estudaremos os seus passos em direção à sua cruz. Antes de analisar os preparativos da crucificação e a própria crucificação em si, vamos analisar um trecho a que poucos prestam atenção, mas que tem uma beleza ímpar: a sua trajetória até o Calvário ou Gólgota, o local em que foi crucificado.

Saindo da fortaleza Antônia: a grande surpresa

O réu estava mutilado. Foi julgado e espancado. Em menos de doze horas seus inimigos destruíram seu corpo. O filho do homem não tinha mais força para caminhar...

O mais amável dos homens tinha uma coroa de espinhos cravada em sua cabeça, gerando dezenas de pontos hemorrágicos. Sua face estava cheia de hematomas. Havia curado a vista dos cegos, agora estava com os olhos inchados. Os edemas periorbitais dificultavam sua visão. A musculatura das pernas estava lesada; a pele das costas, aberta pelos açoites; seu corpo, desidratado.

Ele estava na fortaleza Antônia, casa de Pilatos. Lá fora, uma multidão de homens e mulheres impassíveis queria notícias. Desejavam saber o veredicto romano. De repente, um homem quase irreconhecível aparece escoltado.

A multidão ficou chocada. Não podia ser ele. Parecia uma miragem. Não acreditavam na cena. No dia anterior ele estava tão saudável, agora estava profundamente ferido. O desespero começou a invadir homens, mulheres e crianças. Ninguém entendia o que estava acontecendo. O homem que fez milagres estarrecedores estava fragilizado. O homem que discursou eloqüentemente sobre a vida eterna estava morrendo. Que contraste!...

A cena era impressionante! Gritos de choro ecoavam altissonantes entre as pessoas que o amavam. As mães deviam fechar os olhos das crianças e abraçá-las para sufocar seus soluços. Os soldados clamavam e usavam a força para que todos abrissem espaço. Um cordão humano foi lentamente feito para o réu passar.

Fico imaginando o que não se passava na mente daquelas pessoas sofridas que foram cativadas pelo mestre do amor e que haviam ganhado um novo sentido de vida. Fico pensando em como elas se sentiram vendo um sonho se convertendo em um pesadelo.

Perturbadas, talvez cada uma delas fizesse inúmeras perguntas para si mesmas: "Será que tudo o que ele falou era mentira?" "Será que a vida eterna, sobre a qual tanto discursou, inexiste?" "Será que nunca mais encontraremos as pessoas que amamos e que fecharam os olhos para a existência?" "Se ele é o filho de Deus, onde está o seu poder?" Nunca houve tantas perguntas sem nenhuma resposta...

Elas não conheciam o homem que amavam. Sabiam que o amavam, sabiam que tinham sido cativadas por ele e não conseguiam deixar de segui-lo, mas desconheciam sua estrutura emocional e seu plano transcendental. Jamais poderiam imaginar que tudo o que estava ocorrendo fazia parte do seu plano e do seu cálice.

Suportando e superando sua dor

Se Jesus se fixasse na sua dor e na ira dos seus carrascos, teria abandonado o seu cálice. Porém, nem suas dores nem a frustração causada pelas pessoas o dominavam.

Nós desistimos facilmente das pessoas que nos decepcionam, mas ele tinha uma capacidade de perseverança ímpar. Sua motivação era inabalável. Tinha metas sólidas e estabelecia prioridades para cumpri-las. Assim, conseguia extrair forças para suportar com dignidade o que ninguém suportaria com lucidez.

Ele estava sofrendo, mas não sofria como um miserável

ou um infeliz. Em cada momento de dor, entrava num profundo processo de reflexão e diálogo com seu Pai. O mestre da vida caminhava dentro de si mesmo enquanto caminhava para seu destino final. Conseguia ver as dores em outra perspectiva.

Em que perspectivas vemos nossos sofrimentos? Não estou me referindo aos sofrimentos dramáticos como os que Jesus passou, mas àqueles que vivemos diária ou semanalmente. Muitos de nós não sabemos passar pelas dificuldades inerentes à vida. Elas nos abalam e não nos alicerçam, nos paralisam e não nos libertam.

Ninguém deve procurar qualquer tipo de dor para lapidar sua personalidade. Devemos ir sempre em direção à zona de conforto, ir ao encontro do prazer e da tranqüilidade. Contudo, ainda que seja o mais prevenido dos homens, você, além de não ser perfeito, não consegue controlar todas as variáveis de sua vida. Por isso, pequenas dores e frustrações o acompanharão em sua trajetória existencial.

O problema não é se elas baterão ou não à sua porta, mas o que você fará com elas. Não reaja com medo, não se revolte, não culpe o mundo. Lembre-se de que o mestre dos mestres mostrou que a dor pode ser uma excelente ferramenta para lapidar a alma. Quem aprende a usá-la deixa de ser um herói por fora e se torna uma pessoa forte por dentro...

Consolando as pessoas no topo da dor: mais um gesto excepcional

Jesus sempre esteve disposto a carregar a sua cruz. Agora, era chegado o momento. Contudo, seus inimigos o torturaram tanto que não tinha energia para carregá-la. Ele tentava, mas ao colocar a trave de madeira sobre os ombros, caía freqüentemente.

Os soldados davam-lhe chibatadas. Lentamente ele se levantava e novamente ajoelhava. Para não atrasar o desfecho final, chamaram o primeiro homem forte que estava próximo para ajudá-lo. Foi, então, que colocaram a cruz sobre Simão, o cirineu.[30] Esse veio de longe provavelmente para ver Jesus e ser ajudado por ele, mas agora o vê mutilado e precisando de ajuda.

Ser ajudado por Simão provocou ainda mais dor em Jesus, pois além de desejar carregá-la, jamais admitia dar trabalho ou causar sofrimento a alguém. Mas estava fraco e não podia carregar a trave de madeira. Seu corpo todo doía, seus músculos traumatizados mal conseguiam se movimentar.

Lucas, autor do terceiro evangelho, descreve a cena de maneira eloqüente. Diz que as pessoas viam o espetáculo e se assombravam.[31] Elas contemplavam a dor e o drama de Jesus e eram invadidas por tal soma de desespero que batiam no peito inconsoladas e inconformadas. O mais eloqüente e amável dos homens estava mudo e irreconhecível.

Ele caminhava lentamente. Sua cabeça pendia sobre seu peito. Estava, portanto, sem condições físicas e psíquicas para se preocupar com mais nada, a não ser consigo mesmo. Entretanto, ao observar os gritos da multidão que o amava, ele parou, não suportou.

Ergueu seus olhos! Viu os leprosos e os cegos que curou, as prostitutas que acolheu, bem como inúmeras mães carregando seus filhos no colo. Seu coração se derreteu... Então, quando todos pensavam que ele não tinha mais energia para raciocinar e dizer qualquer palavra, fitou a multidão, focalizou as mulheres e disse, provavelmente com lágrimas: "Filhas de Jerusalém, não chorais por mim. Chorai por vós e por vossos filhos".[32]

Que homem é capaz de se esquecer de si mesmo e se preocupar com os outros no auge dos seus sofrimentos? Ele tinha problemas demais. Era ele quem precisava de consolo e não a multidão. Era ele quem precisava estancar suas feridas e aliviar as suas dores, mas mais uma vez esqueceu-se de si mesmo e voltou-se para as pessoas e procurou consolá-las.

Você conhece alguém que tenha sofrido um grave acidente de carro e que, apesar de estar todo ferido, sangrando e morrendo, tenha sido capaz de esquecer de si mesmo para consolar a angústia dos que dele se aproximavam? Jesus inverteu os papéis. O ferido ajudou o socorrista. Sua amabilidade não tem precedente histórico. Estava ferido e mutilado, mas seus olhos deslocavam-se da sua dor e focalizavam as dores dos outros. Na cruz analisaremos que ele levará até às últimas conseqüências sua solidariedade e amor.

Raramente conseguimos enxergar os problemas dos outros quando estamos preocupados com os nossos. Às vezes, ao passarmos por uma pequena crise de ansiedade, ficamos mais intolerantes e agressivos. Contudo, o mestre do amor não apenas fez atos humanísticos quando estava no ápice da saúde e da fama, mas também quando estava nos patamares mais inferiores da infelicidade e do infortúnio, o que o torna um homem agradável e excepcional, simplesmente único.

A destruição de Jerusalém em 70 d.C.

Jesus parecia dizer: "Por favor, não chorem por mim. Estou morrendo, não se preocupem comigo. Preocupem-se com vocês mesmos. Vocês já têm problemas demais, chorem por vocês mesmas e por seus filhos..." Mas, o mestre da vida disse algo enigmático. Comentou que, se faziam aquilo com o lenho verde, muito pior fariam com o lenho seco.[33] Queria dizer que, se os romanos davam a ele um julgamento injusto, apesar dele ser tão amável e justo, o que não poderiam fazer aos judeus?

Talvez estivesse alertando as mães a se preocupar com seus filhos, pois dias dramáticos viriam. Talvez estivesse antevendo a destruição dramática de Jerusalém pelos romanos no ano 70 d.C. A destruição de Jerusalém foi um dos capítulos mais angustiantes da história da humanidade e poucos o conhecem. Vejamos.

Quem discorre sobre a queda de Jerusalém é o historiador Flávio Josefo[VIII]. Ele viveu entre 37 e 103 d.C.. Seu pai era da linhagem de sacerdotes e sua mãe da linhagem real hasmoneana. Tinha vasta cultura, falava, além do hebraico, o grego e o latim. Pertencia ao grupo dos fariseus. Quando irrompeu a revolta dos judeus em 66 d.C. contra os romanos, portanto mais de trinta anos depois da morte de Jesus Cristo, Josefo foi convocado para dirigir as operações contra Roma na Galiléia.

O império romano crescia a cada década. À medida que ele crescia, a máquina estatal inchava e necessitava de mais dinheiro e alimentos para financiá-la. A paranóia dos Césares de dominar o mundo não era apenas fomentada pela cobiça, mas também por uma necessidade de sobrevivência. Quanto mais terras dominavam, mais cobravam impostos.

Josefo logrou algumas vitórias contra o exército romano, mas por fim foi derrotado e aprisionado. Quem iniciou a luta contra Jerusalém foi o general Vespasiano, que depois substituiu Nero no império. Quando Josefo foi derrotado na Galiléia, passou a colaborar com Vespasiano e depois com Tito, seu filho, que assumiu o lugar do pai na luta contra a cidade.

A insurreição de Jerusalém contra Roma surgiu num período lamentável, na época da festa da páscoa. Milhares de judeus tinham vindo de muitas nações para comemorá-la. Foram pegos de surpresa e não imaginavam a tragédia que os aguardava.

Dois líderes judeus ambiciosos, João e Simão, começaram a fazer uma espécie de guerra civil dentro da cidade. Eles saqueavam as casas, queimavam alimentos e queriam minar as forças um do outro. Com o ataque dos romanos, eles se uniram. Aproveitaram o fervilhar do povo na festa da páscoa para incitá-lo contra o império romano. Foi um ato de conseqüências inimagináveis. Eles se fecharam em Jerusalém sem ter provisões suficientes para sustentar a revolta.

As muralhas de Jerusalém eram altas, difíceis de ser vencidas. Tito fazia freqüentes incursões em vão. Mas, segundo Josefo, o general romano zombava desses muros e exaltava a força do seu exército. Afinal, dizia: "Os romanos são o único povo que treina seus exércitos em tempo de paz".

À medida que Tito cercava Jerusalém e privava o povo das suas necessidades básicas, tais como alimento e água, enviava constantes recados para que os revoltosos se entregassem. Num desses recados, ele desdenhou de como o imperador Nero tratava os judeus. Disse que Nero tinha sido um fraco diante deles, mas que ele jamais aceitaria ser derrotado.

Jerusalém lutava pelos seus direitos, pela sua liberdade e Roma lutava pelo seu orgulho, pelo seu império. O direito do povo de Israel de ser livre e dirigir o seu próprio destino jamais poderia ser furtado pelo domínio de qualquer império.

Josefo, embora prisioneiro, desfrutava de grande prestígio perante Tito. Tentou persuadir insistentemente os líderes judeus a se render, dizendo que era loucura aquela empreitada. Queria evitar a guerra e o massacre; entretanto, nada os dissuadia.

A fome e a sede foram aumentando. Alguns judeus saqueavam os mais fracos. Os cadáveres se espalhavam pela cidade, exalando mau cheiro e espalhando epidemias. Por fim, o exército romano prevaleceu e uma das maiores atrocidades da história foi registrada.

Jerusalém foi destruída no ano de 70 d.C. O saldo da guerra corrói a alma. Morreram cerca de um milhão e cem mil homens, mulheres e crianças, vítimas da guerra e das suas conseqüências. O solo dessa bela cidade absorveu o sangue e as lágrimas de muitos inocentes. Mais uma vez a história humana maculou-se com atrocidades inexprimíveis.

O general Tito constrói o Coliseu

Josefo, após a guerra, vai com Tito para Roma. Esse é recebido por seu pai com grandiosa pompa. Josefo faz elogios em seus textos ao general. Chama-o de "o valente general, que depois de ver a destruição de Jerusalém se condoía por ela...".

Josefo lamentou profundamente a destruição do seu povo em muitos textos, mas há outros em que exalta o destruidor de Jerusalém e, por isso, foi considerado pelos judeus como um oportunista. É provável que seus textos passassem pela censura de Roma. Se esse foi o caso, pode ser que os seus elogios a Tito não façam parte das suas reais intenções.

Josefo foi, sim, um interlocutor de Roma para evitar a guerra, pois tinha consciência de que se opor ao império era suicídio. Apesar de todos os seus apelos, não teve êxito. O império romano destruiu completamente a cidade de Jerusalém. Tito levou prisioneiros noventa e sete mil homens para Roma. Após a morte de Vespasiano, também se tornou imperador, mas por pouco tempo.

Após destruir Jerusalém, Tito construiu, durante o império de seu pai, uma das mais belas maravilhas do mundo, o Coliseu de Roma. É provável que o sangue e o suor dos judeus cativos tenham sido usados nessa construção. As imensas pedras torneadas, com toneladas de peso, foram rigorosamente encaixadas para produzir o templo dos gladiadores. Quem teve a oportunidade de conhecer essa magna construção se encanta com a arquitetura e a engenharia tão evoluídas em tempos tão remotos.

A dor e a miséria humana sempre excitaram o território da emoção do homem que não lapida sua inteligência com as mais nobres funções. O Coliseu foi um teatro onde a euforia e o medo chegaram às últimas conseqüências. Os homens lutavam entre si e com feras até à morte. Uma multidão delirava na platéia enquanto uma minoria era transformada em animais no palco. A dor serviu de pasto para uma emoção que não sabia amar nem valorizar o espetáculo da vida.

Josefo fala de Jesus Cristo

Josefo é considerado um dos maiores historiadores de todos os tempos. Seus escritos se tornaram uma das mais ricas fontes de informações sobre povos antigos, sobre o império romano, outros impérios e sobre o povo judeu.

Ele faz importantes relatos sobre Augusto, Antônio, Cleópatra, os imperadores Tibério, Calígula, Cláudio, Nero, Vespasiano e Tito, sobre alguns reis da Síria e outros personagens. Sua contribuição para compreendermos o mundo antigo foi muito grande. Apesar de ter sido da linhagem dos fariseus, também faz uma descrição sintética, mas elogiosa e surpreendente, sobre a vida de Jesus e sobre os personagens que o envolveram, tais como o rei Herodes (o que mandou matar o menino Jesus), Arquelau e Pilatos. Seus escritos dão veracidade histórica a diversas passagens dos evangelhos.

Os relatos diretos e sintéticos de Josefo sobre Jesus expressam como ele causava perplexidade e possuía grandeza nos seus gestos e palavras. Descreve que no tempo de Pilatos: "Apareceu Jesus, que era um homem sábio, se todavia devemos considerá-lo simplesmente como um homem, tanto suas obras eram admiráveis.

Ele ensinava os que tinham prazer de ser instruídos na verdade e foi seguido não somente por muitos judeus, mas por muitos gentios. Era o Cristo. Os mais ilustres de nossa nação acusaram-no perante Pilatos e ele fê-lo crucificar.

Os que o haviam amado durante a vida não o abandonaram depois da morte. Ele lhes apareceu ressuscitado e vivo no terceiro dia, como os santos profetas o tinham predito e que ele faria muitos outros milagres. É dele que os cristãos, que vemos ainda hoje, tiraram o seu nome" [IX].

Josefo considerava Jesus um sábio. De fato, como vimos, Jesus manifestou as funções mais importantes da inteligência, viveu o ápice da sabedoria. Considerava-o também um mestre cativante, pois provocava nas pessoas o prazer de ser instruídas. Jesus, de fato, abria as janelas de suas mentes e expandia as possibilidades do pensamento. Josefo ainda dizia que Jesus tinha feito obras admiráveis e que ele era mais do que um ser humano. Talvez, por isso, tenha registrado que ele era o Cristo. Seu argumento sobre Jesus como o Cristo entra na esfera da fé, que, como tenho dito, é cunhada pelos ditames pessoais.

Se lermos as obras de Josefo, não há sinal claro de que tenha se tornado um cristão. Entretanto, por ter a ousadia de considerar Jesus como o Cristo, apenas trinta ou quarenta anos após ter sido crucificado, e de relatar que ele tinha superado o caos da morte através da ressurreição, é um indício de que sua vida passara por profundas reflexões existenciais. Talvez não tenha comentado mais sobre Jesus e sobre os cristãos porque estes eram intensamente perseguidos em sua época.

Não era possível deixar de chorar por ele

Agora que vimos algo sobre a destruição trágica de Jerusalém mais de trinta anos depois da crucificação de Jesus, talvez possamos entender melhor o que ele queria dizer às mulheres que lamentavam seu sofrimento. Estava preocupado com elas e com os filhos delas e, mesmo sofrendo e sem energia, pediu para que poupassem suas lágrimas e não se preocupassem com ele.

Parecia que estava querendo que elas se protegessem e aos seus filhos. O mestre da vida devia estar alertando cada habitante de Jerusalém. Entretanto, tudo isso são suposições. Jesus tem segredos que nunca serão desvendados completamente nem pela análise científica nem pela teológica.

Ele andava cambaleante, mas queria enxugar as lágrimas de cada uma daquelas pessoas. Mal acabara de falar e os soldados o continuavam empurrando sem piedade. Embora quisesse poupá-las de sofrer por ele, dessa vez não conseguiu aliviá-las. Era-lhes impossível não sofrer por ele, pois elas o amavam. Vê-lo morrer fazia com que morresse dentro delas o sentido da vida.

A linguagem da emoção

Os homens que andavam com Jesus aprenderam uma das mais difíceis e importantes linguagens, a linguagem da emoção. Aprenderam a não ter medo de admitir as suas fragilidades e de falar dos seus sentimentos. Aprenderam a não ter medo de amar e chorar. As lágrimas são alguns dos códigos da linguagem encantadora da emoção. Pedro chorou por tê-lo negado; Judas, por tê-lo traído e agora uma numerosa multidão soluçava inconsolada por crer que iria perdê-lo para sempre...[34]

Quanto você tem aprendido a linguagem da emoção? Você vive represado dentro de si mesmo ou sabe expressar seus sentimentos? Nunca se esqueça de que a maneira como os outros nos vêem e reagem a nós se deve não ao que somos, mas ao que expressamos. Há pessoas excelentes, mas com péssima capacidade de exteriorizar sua amabilidade, sabedoria, preocupação com os outros.

Muitos pais, professores, profissionais liberais, empresários são excelentes no conteúdo, mas têm grave dificuldade de falar a linguagem da emoção e exteriorizar sua cultura, suas idéias e suas emoções. É possível que passem uma imagem de arrogantes e autoritários, embora sejam humanos e humildes.

Enquanto o mestre do amor caminhava, as pessoas acompanhavam seus passos lentos. Ele vertia sangue enquanto andava e a multidão vertia lágrimas enquanto caminhava. Que cena! Ninguém queria chegar ao desfecho final: ao Calvário. Ninguém queria ver o capítulo final da história do mestre da emoção. Vê-lo ferido e mutilado já era insuportável para aquele povo sofrido e sem esperanças.

Um balanço do martírio: quatro julgamentos e seis caminhadas como criminoso

Antes de analisar os eventos que aconteceram quando Jesus chegou ao Calvário, vamos fazer um balanço geral do que ele sofreu desde que foi preso na noite anterior no Jardim do Getsêmani. Fazer tal balanço é importante para que possamos ver em que condições físicas e emocionais ele chegou para ser crucificado.

Os líderes judeus sabiam que se não o condenassem rapidamente a multidão poderia se revoltar. Então, eles pressionaram tanto Pilatos como Herodes Antipas a julgá-lo sumariamente. Quando Pilatos, zombando deles, disse: "Hei de crucificar o vosso rei?" [35], os líderes judeus se revoltaram. Fizeram o que nunca foi feito na história, rejeitaram um judeu como rei. Disseram, pela primeira vez e em alto e bom som, que César, o imperador romano, era o rei deles. Os judeus jamais tinham aceitado ser governados por alguém fora da sua própria raça.

Minutos antes eles haviam preferido o assassino Barrabás a Jesus, agora eles trocam Jesus por um tirano que estava em Roma. Na realidade, Jesus foi tão rejeitado e odiado que eu, você ou qualquer pessoa desta terra seria mais importante que ele para a liderança judia. Nunca um homem foi tão desprezado e nunca teve um comportamento tão altaneiro.

Os judeus já haviam, anos antes, apresentado queixas contra Pilatos para o grande Imperador Tibério César. Pilatos sabia, portanto, que se dissessem a Tibério que ele tolerara um homem que dizia ser "rei dos judeus", embora fosse a multidão que o proclamasse assim, não seria perdoado pelo imperador, cairia em desgraça e perderia o cargo. Pilatos sabia que Jesus era inocente, mas não suportou a pressão política. Foi infiel à sua consciência e condenou à pena máxima o mais inocente dos homens.

O mestre da vida fez seis longas caminhadas como criminoso: caminhou do jardim do Getsêmani à casa de Anás; da casa de Anás até à casa de Caifás; da casa de Caifás até à casa de Pilatos; da casa de Pilatos até à casa de Herodes Antipas; da casa de Herodes Antipas novamente até à casa de Pilatos; da casa de Pilatos até ao Calvário. Jesus era conduzido de um lado para o outro porque ninguém queria se responsabilizar pela morte do mais famoso e intrigante homem de Jerusalém.

Foi cuspido e humilhado por diversas vezes. Foi considerado duplamente falso: falso filho de Deus e falso rei. Mas não abriu a sua boca para agredir ou reclamar dos seus torturadores.

Submeteu-se a quatro julgamentos injustos: na casa de Anás, de Caifás, na de Pilatos e na de Herodes Antipas. Foi torturado emocionalmente em todos esses julgamentos. Foi espancado por três grupos de soldados. Foi mutilado pelos açoites na casa de Pilatos, bem como coroado de espinhos como se fosse um falso e frágil rei. Não há relato de que os soldados de Herodes Antipas o tenham afligido fisicamente, apenas emocionalmente.

Ficou nu pelo menos duas vezes em público, na casa de Herodes e no Calvário. Na casa de Herodes Antipas, Jesus rejeitou falar e fazer qualquer um de seus milagres, como o governador da Galiléia solicitara. Não queria dizer qualquer palavra ao político assassino e arrogante que havia inclusive cortado a cabeça de seu grande amigo e precursor, João Batista.

Bastava um milagre e seria solto. Mas foi amigo do silêncio. Por causa do seu silêncio, Herodes despiu-o, colocou-lhe um manto de rei e debochou dele. Seus soldados o colocaram no centro de um picadeiro e o provocaram, deram gargalhadas e emitiram gritos histéricos. Somente alguém que está plenamente convicto dos seus valores usa o silêncio como substituto das palavras. Todas as vezes que precisamos falar demais para convencer os outros, estamos sendo inseguros.

Muitos homens foram feridos e torturados ao longo das eras, mas é provável que nunca um homem tenha passado pela seqüência de tortura que ele passou. Entretanto, nunca um homem foi tão forte e seguro num ambiente onde só era possível reagir com ansiedade e desespero.

A ciência dormita em relação à compreensão do homem Jesus. Espero que meus colegas cientistas da psicologia, da psiquiatria e das ciências da educação possam ter a oportunidade de estudar sua inusitada personalidade.

A conseqüência da humilhação no inconsciente

Em cada lugar que Jesus era julgado, era humilhado publicamente. Longe das pessoas que o amavam, seus inimigos não tiveram compaixão dele. Você já foi humilhado publicamente? A humilhação pública é uma das mais angustiantes experiências humanas.

Lembro-me de uma paciente que aos doze anos foi humilhada por uma de suas professoras. Ao fazer uma pergunta aparentemente descabida, a professora ofendeu-a na frente dos colegas, dizendo: "Gordinha não inteligente". Foi o suficiente para registrar a ofensa de maneira privilegiada na memória e submeter sua personalidade a um calabouço. A jovem era sociável e inteligente, mas começou a ter baixo rendimento escolar e a se isolar socialmente.

Todas as vezes que ia mal nas provas ou alguém levantava a voz para ela, abria a janela da memória em que estava o registro doentio provocado pela professora e reproduzia a experiência de angústia e sentimento de inferioridade. Pouco a pouco desenvolveu depressão e com dezoito anos tentou o suicídio.

Nunca humilhe as pessoas nem as critique publicamente, ainda que elas estejam erradas. Elogie-as em público e as critique particularmente, como o mestre da vida fazia. Pais, professores e gerentes que humilham as pessoas publicamente podem comprometer a capacidade intelectual delas para sempre.

Humilhações sociais podem perpetuar-se por gerações. Tal é o caso dos seres humanos de pele negra. Há milhões deles que ainda sofrem inconscientemente as seqüelas da escravidão. A escravidão se foi e as seqüelas inconscientes ficaram. Isso não é transmissão genética, mas existencial, através do fenômeno RAM - registro automático da memória. O fenômeno RAM registra, desde a mais tenra infância, nos territórios da memória, milhões de imagens e experiências que de alguma forma humilham as pessoas de cor negra.

Até as aulas sobre a escravidão, se não forem transmitidas educando a emoção através de resgatar a dor que os negros viveram e exaltando a dignidade deles como seres humanos, podem perpetuar essas seqüelas. A transmissão passiva das tragédias humanas, tais como o nazismo, as guerras mundiais, as atrocidades do império romano podem produzir uma psicoadaptação inconsciente dos alunos a elas, debelando a educação da sensibilidade. Informar é insuficiente para formar. Precisamos da educação que forma.

As rejeições sociais registram-se de maneira privilegiada na memória, criando zonas de tensão capazes de controlar nossa maneira de ser e de agir. Se no passado tivemos experiências em que fomos discriminados, rejeitados ou humilhados, devemos reciclá-las, caso contrário, seremos vítimas e não autores de nossa história.

Devemos aprender com o mestre dos mestres a proteger nossas emoções. Enquanto caminhava por uma estrada saturada de acidentes sociais, Jesus não reclamava nem se desesperava. Os homens podiam rejeitá-lo, mas ele não gravitava em torno do que os outros pensavam dele. Era forte o suficiente para não fazer de sua emoção uma lata de lixo e nem de sua memória um depósito de vergonha e complexo de inferioridade.

Se você gravita em torno do que os outros dizem e pensam a seu respeito, é porque certamente você não tem grande proteção emocional. Um olhar atravessado pode estragar seu dia.

O mestre perdia sangue, mas não perdia sua dignidade. Os homens podiam amordaçá-lo, mas era livre num lugar em que seus inimigos eram escravos. Ninguém conseguiu abalar os alicerces de sua alma.

A seqüência dos eventos

Van Gogh passou por muitas privações e rejeições sociais. Esse gênio da pintura era rico por dentro, mas emocionalmente hipersensível. O impacto das perdas, rejeições e ofensas causavam-lhe grandes turbulências no território da emoção, o que o fazia ter crises depressivas. Por fim, o grande pintor perdeu o colorido de sua emoção.

Machado de Assis foi um eloqüente e poético escritor. Criava belos personagens em complexas tramas existenciais. Mas, um dia experimentou o caos emocional. Perdeu sua amada esposa, companheira de décadas. Com isso, perdeu o solo da sua segurança, o que o fez imergir numa bolha de solidão e arrebatou-lhe o ânimo de viver. Quem está livre de passar por esses percalços existenciais?

Certa vez, ministrei uma palestra para cerca de oitenta professores de uma universidade. Quase todos eram doutores (PhD). Falei-lhes sobre os vínculos da emoção com o pensamento e dos complexos papéis da memória. Esses professores perceberam que somente os títulos acadêmicos não os habilitavam a navegar com destreza nas águas da emoção, superar seus focos de tensão, resolver os conflitos em sala de aula e cativar seus alunos ansiosos. Também compreenderam que, apesar de serem ilustres professores, conheciam pouco o funcionamento da mente e as ferramentas que utilizavam na educação: as janelas da memória, o mundo das idéias, as zonas de tensão das emoções.

Ninguém vive um jardim sem espinhos. Contudo, qual é o termômetro para auferirmos se uma pessoa é feliz e bem resolvida? Sua habilidade e capacidade para suportar e transcender seus sofrimentos. Não a teste quando ela está sob os aplausos de uma multidão, mas quando está no anonimato, atravessando perdas e fracassos. Uma pessoa feliz não é um gigante, mas alguém capaz de transformar em adubo a sua fragilidade, de usar seus problemas como desafios e de abrir o leque dos pensamentos quando o mundo parece desabar sobre ela.

Diversas faculdades têm adotado essa obra: faculdades de medicina, psicologia, pedagogia. O que é interessante é que alguns grandes bancos também estão adotando a coleção "Análise da inteligência de Cristo" como leitura para seus diretores. Por que executivos de finanças estão lendo livros sobre a inteligência do mestre dos mestres? Porque as palestras de recursos humanos sobre motivação raramente resistem ao calor da segunda-feira. Além disso, os métodos administrativos, gestão de pessoas e superação de situações de riscos são difíceis de ser trabalhados no palco da mente dos líderes empresariais.

Esses executivos almejam conhecer algo que tenha raízes, capaz de transformar sua maneira de ser e pensar. Esperam, portanto, desenvolver sua inteligência multifocal e espiritual. Por isso, partiram para compreender o homem mais fascinante que viveu nesta terra, Jesus Cristo. Querem conhecer seus métodos administrativos, saber como ele abria as janelas de sua mente nos focos de tensão, superava situações de altíssimo risco e desenvolvia as funções mais importantes da inteligência.

Jesus sempre superou todos os obstáculos de sua vida, ele só morreu porque se entregou. O mestre da vida, independentemente da questão espiritual, foi a pessoa que mais soube preparar líderes. Mesmo o abandono dos seus discípulos foi um treinamento para eles. Ele os havia prevenido de que o abandonariam. Seu alerta preparava seus limitados discípulos para reconhecer seus limites, superá-los e nunca desistir de suas metas. Ele lapidava a personalidade de pessoas difíceis. Treinava-as, através das suas ricas palavras e seus laboratórios de vida, para serem líderes do seu próprio mundo.

Você sabe investir em pessoas e explorar o potencial delas? Você é compreensivo com seus filhos, alunos e funcionários quando eles erram, dão vexames e o perturbam? Sua dignidade revela-se não quando você atravessa situações calmas, mas em situações tensas e de risco. Sua habilidade para gerir e treinar pessoas complicadas em situações complicadas é um termômetro da sua grandeza.

CAPÍTULO 5

Os Preparativos para a Crucificação

Rejeitando uma bebida
entorpecente para aliviar sua dor

Jesus chegou ao Gólgota às nove da manhã.[36] Gólgota significa lugar da caveira, por isso recebe também o nome de Calvário. A multidão estava apavorada e o réu estava exausto e profundamente fatigado.

Os governadores romanos puniam com a cruz seus piores inimigos. O Calvário era um lugar triste e apavorante que ficava do lado de fora da cidade de Jerusalém. Ninguém sentia prazer em visitar aquele lugar. Entretanto, o homem Jesus penetrou na alma dos habitantes da cidade e arrastou multidões para lá.

Os romanos aprenderam a arte da crucificação com os gregos e os gregos, com os fenícios. A crucificação era uma punição cruel. O criminoso ficava por longas horas, em alguns casos até por dois ou três dias, até morrer de hemorragia, desidratação, insolação e falência cardíaca em uma cruz.

O império romano usava a prática da crucificação como instrumento de domínio. Os gemidos de uma pessoa crucificada ecoavam por meses a fio na alma dos homens, gerando desespero e medo. O medo os controlava e os fazia submeterem-se à autoridade política.

Ao chegar ao Calvário, os soldados romanos davam uma bebida anestésica ao condenado: vinho misturado com fel e mirra.[37] Tal bebida era um lampejo de misericórdia para com os crucificados. Ela aliviava um pouco a dor produzida pelos traumas dos cravos que lesavam músculos, nervos, fraturavam ossos e rompiam vasos sanguíneos.

Quando o risco de vida é intenso, fecham-se os territórios de leitura da memória e o homem animal prevalece sobre o homem intelectual. Ninguém conserva a sobriedade quando é machucado, ainda mais quando é crucificado. As reações instintivas dominavam o condenado à cruz. Ele se contorcia de dor e lutava desesperadamente para esquivar-se da agonia e da morte.

Os primeiros golpes dos cravos nos punhos e pés eram insuportáveis. Estalidos dos martelos combinados com gritos de dor ecoavam pelo lugar. Alguns desmaiavam, outros ficavam confusos e ainda outros enfartavam devido ao *stress* pós-traumático.

Por causa da dimensão da dor imposta pela crucificação, ninguém recusava a bebida anestésica. Contudo, Jesus, para espanto dos soldados, a recusou. Rejeitou o ato de misericórdia dos romanos. Por quê? Por vários motivos. Um deles é que queria se colocar como redentor da humanidade. Outro é que não queria perder a consciência em nenhum momento do seu martírio. E, ainda outro, era que almejava viver as aflições humanas até o final.

Muitos não sabem, mas a medicina cirúrgica só conseguiu avançar devido ao campo da anestesia. Antigamente, para operar uma pessoa, ela tinha de ser embriagada ou receber uma pancada na cabeça. Muitos morriam no ato operatório, e isso não apenas pelas técnicas deficientes, mas pelo intenso *stress* causado pelas dores do ato cirúrgico. À medida que a área da anestesiologia avançou, preparou o caminho para o desenvolvimento da cirurgia.

Jesus não queria estar sonolento e confuso no ato da crucificação. Conservou sua lucidez antes e durante o seu martírio. Até a última batida do seu coração, o mestre da vida estava plenamente consciente do mundo à sua volta.

As possíveis reações psicossomáticas

Não estamos programados para morrer. Embora tenhamos mecanismos que nos conduzam ao envelhecimento, o organismo não aceita o fim da vida, mesmo quando alguém tenta desistir dela. Todas as nossas células possuem uma memória genética que clama pela continuidade da existência.

A memória genética nos faz fugir de tudo que conspira contra o fim! Todos temos reações psicossomáticas diante de determinados estímulos agressivos que nos impõem riscos. Libera-se mais insulina e desencadeia-se uma série de mecanismos metabólicos objetivando um rendimento energético maior das células para propiciar condições para lutar ou fugir da situação estressante.

Assim, diante da possibilidade da morte, surge um turbilhão de sintomas psicossomáticos. O cérebro envia mensagens urgentes para o sistema circulatório. O coração deixa sua tranqüilidade rítmica, acelera sua velocidade, gera taquicardia e aumenta a pressão sanguínea. O objetivo é bombear mais nutrientes para a musculatura.

Jesus foi deitado ao chão sob o leito da cruz. Independentemente da sua natureza divina, o fato é que era um homem com um corpo frágil como o de qualquer um de nós. Ao ser posicionado na trave de madeira, apresentou diversos sintomas psicossomáticos.

Horas antes, no Getsêmani, teve hematidrose, suor sanguinolento[38], um sintoma raro na medicina que ocorre no ápice do *stress*. Ele deve ter tido intensa taquicardia, com grande aumento da pressão sangüínea que, por sua vez, provocou ruptura nos pequenos vasos da pele. Essas reações eram devidas à consciência que tinha do martírio que o aguardava. Sabia que morreria sem anestesia. Sabia que tinha de suportar uma morte indigna com a maior dignidade.

Agora, na cruz, insiste em estar plenamente consciente. Sofria muito, mas permanecia inabalável. Os soldados procuraram contê-lo como a todo crucificado, mas não era preciso. O mestre não ofereceu resistência. Os homens poderiam tirar-lhe tudo, até a roupa, mas não lhe arrancariam a consciência. Queria ser livre para pensar, mesmo quando seu corpo morria.

Nunca devemos exigir um raciocínio sóbrio de alguém que está sofrendo. Compreensão e não cobrança, essa deve ser nossa atitude, entretanto, não devemos fugir de nossas perdas nem negar nossos sofrimentos. Se os enfrentamos e refletimos sobre eles, os aliviamos e superamos. Contudo, todos temos limites. Não devemos cobrar de nós e nem dos outros uma carga maior do que suportamos.

Devemos ser sensíveis para compreender que cada pessoa reage de um jeito diferente diante dos seus sofrimentos. A pior reação é reagir sem pensar. Essa reação não soluciona o problema e, por vezes, causa muitos danos. Isso acontece porque, como disse, sob o foco da dor, fecha-se o mundo das idéias e abre-se o mundo dos instintos.

Da próxima vez que você vir alguém tendo reações insensatas, ao invés de julgá-lo pergunte o que está acontecendo. Gaste tempo dialogando com ele. Se dialogar, você o compreenderá; se o compreender, será solidário; se for solidário, será menos crítico. Você será mais feliz e as pessoas terão mais prazer de estar em sua presença. Uma pessoa tolerante educa mais e é mais agradável do que uma pessoa crítica.

Encorajando os usuários de drogas a ser livres

A atitude sólida e corajosa do homem Jesus de não usar uma droga anestésica para aliviar a sua dor traz uma grande esperança aos usuários de drogas de todo o mundo.

A farmacodependência é um dos problemas de saúde pública mais graves da atualidade. A medicina e a psicologia têm menos eficácia no tratamento da farmacodependência se comparado a outras doenças. Só há êxito quando o paciente deseja ardentemente mudar a sua história. Desse modo, ele pode reeditar o filme do inconsciente.

O homem sempre amou a liberdade, mas milhões de usuários de drogas se enclausuraram na pior prisão do mundo. O efeito psicotrópico das drogas, seja ela estimulante como a cocaína ou fortemente tranqüilizante como a heroína, cria zonas de tensão nos territórios inconscientes da memória. Elas produzem o pior cárcere já inventado pelo homem, o cárcere da emoção.

Ser preso por barras de ferro é angustiante, mas ser preso por algemas no território da memória é trágico. Com o tempo, os usuários de drogas diminuem sua capacidade de gerenciar seus pensamentos quando estão angustiados, ainda que sejam pessoas inteligentes e cultas.

Quando estão ansiosos, os estímulos estressantes do dia-a-dia detonam o gatilho da memória, que abre a janela onde existe a representação da droga. A partir daí produz-se um desejo compulsivo de usar uma nova dose para tentar aliviar a angústia gerada por esse processo.

Muitos profissionais de saúde mental não sabem que depois que se instala a farmacodependência o problema não é mais a droga em si, mas sua imagem inconsciente. Se um usuário não terminar o romance dentro de si, um dia poderá recair, pois ainda tem vínculos em sua memória.

É preciso nunca desistir, ainda que existam recaídas. Ninguém reurbaniza as favelas da memória rapidamente. Não importa o tempo que dure, o importante é ser livre. Tal determinação vale para qualquer tipo de transtorno psíquico. Chorar sim; desistir da vida, nunca.

O mais amável e inteligente dos homens, Jesus Cristo, recusou o uso de drogas para encontrar alívio. Não quis ser anestesiado. Sua atitude é um grande encorajamento para os dependentes de drogas. Ele desejou ser livre e consciente, não importando com o preço a ser pago.

Claro que uma pessoa que está com câncer necessita de anestésico para se aliviar. De igual modo, uma pessoa que está com um transtorno depressivo ou ansioso importante também precisa de antidepressivos e tranqüilizantes. Entretanto, o uso de drogas psicotrópicas sem necessidade médica conspira contra a liberdade de pensar e sentir. Nunca atente contra sua consciência. O homem que macula sua consciência tem dívida impagável consigo mesmo.

Se fôssemos um dos amigos de Jesus e estivéssemos aos pés da sua cruz, teríamos implorado para que ele tomasse a bebida anestésica. Talvez alguns dos que o amavam e viram a cena, tenham-lhe rogado aos gritos: "Mestre! Pense um pouco em si mesmo. Tenha pena de si. Tome o cálice de misericórdia dos romanos!".

Ele não ouviu ninguém, nem a linguagem dos seus sintomas psicossomáticos. Que amor é esse que nem por dinheiro, fama ou qualquer outro motivo vende a sua própria liberdade?

Quanto você ama sua liberdade de consciência e está disposto a lutar por ela? Muitos executivos são *workaholic*, viciados em outro tipo de droga, viciados em trabalhar. Não conseguem fazer coisas fora da sua agenda. Não investem naquilo que lhes proporcionam prazer e tranqüilidade.

São ótimos para sua empresa, gastam sua energia para preservar sua saúde financeira, mas não investem em sua saúde emocional. Vivem para trabalhar e não trabalham para viver. Que tipo de liberdade é essa? Lute contra tudo que conspira contra sua consciência e sua qualidade de vida. Ninguém pode fazer isso por você.

Crucificado nu

Não bastasse todo vexame que passou em seus julgamentos, os homens tiraram suas vestes e o crucificaram como um espetáculo de vergonha e dor. Jesus foi crucificado nu, mas muitos não prestam atenção nisso. As roupas eram caras e difíceis de ser tecidas.

A multidão estava estarrecida. Por estar despido, ela viu, com seus próprios olhos, o corpo mutilado do amável mestre. As costas sangravam, havia hematomas pelo corpo causados pelos golpes dos seus carrascos na casa de Caifás e de Pilatos.

Jesus cuidava delicadamente de todas as pessoas. Nunca pedia conta dos seus erros, nunca expunha a sua nudez, as suas falhas. Jamais quis saber com quantos homens as prostitutas que o seguiam tinham dormido. Cobria e perdoava as falhas de todos, mas ninguém cobriu sua nudez. Protegeu homens de todos os lugares, mas seus inimigos não lhe deram sequer o direito de morrer com suas vestes.

O mestre da vida viveu o topo da vergonha social. Foi humilhado como eu e você nunca seremos. Gemidos saíam da sua boca, mas ninguém ouviu gritos e lamentações.

Temos grande facilidade para reclamar e péssima habilidade para agradecer. Ele tinha grande facilidade para agradecer e nenhuma habilidade para reclamar. Quanto mais uma pessoa reclama, mais coloca condições para ser feliz e se aprisiona em sua própria armadilha.

Recebendo o nome de rei como deboche

João foi o único biógrafo que descreveu com detalhes o nome que Pilatos mandou cunhar e colocar sobre a cruz de Jesus.

Pilatos, odiando os líderes judeus por pressioná-lo a condenar Jesus contra sua própria consciência, mandou colocar acima da sua cabeça o nome "JESUS NAZARENO, O REI DOS JUDEUS".[39] Essas palavras foram cunhadas em grego (a língua universal), latim (a língua romana) e em hebraico (a língua dos judeus).

A palavra "nazareno" associada ao nome de Jesus era uma expressão de escárnio, pois Nazaré era uma humilde cidade da Galiléia, uma origem inaceitável para um rei de Israel. Pilatos, desprezando a dor de Jesus, usou a sua cruz para zombar dos judeus.

Os líderes rogaram ao governador romano que

não escrevesse "rei dos judeus", mas que ele tinha dito: "Sou rei dos judeus". Entretanto, Pilatos, defendendo a sua pobre e débil autoridade, golpeou-lhes, dizendo: "O que escrevi, escrevi".[40]

Talvez Jesus tenha sido o único homem crucificado por Roma que recebeu tal título escrito em três línguas. Um título carregado de ironia, proveniente de um julgamento falso, porém, a palavra "Rei" cunhada naquela efígie tinha um fundo de verdade. O mestre do amor não queria o trono político, mas o coração do homem. Não queria ser temido como Pilatos e César, mas amado. Queria ser rei no espírito e nos áridos solos da alma humana.

O mestre da vida foi acima de tudo rei de si mesmo, líder de seu próprio mundo. Reinou num ambiente em que todos nós, intelectuais e iletrados, psiquiatras e pacientes, somos pequenos e frágeis súditos. Reinou sobre o medo, a insegurança, o individualismo, o ódio. Reinou sobre o desespero e a ansiedade. Por isso, como estudaremos, confortou a emoção de muitos, quando a sua alma precisava ser confortada.

Você reina sobre seu mundo ou é um mero súdito de suas idéias negativas, de sua ansiedade e mau humor? Se você não aprender a governar suas emoções, poderá ser livre por fora, mas prisioneiro por dentro. Nunca deixe suas angústias, fracassos, falhas e ansiedades controlarem você. Jamais se esqueça de que o maior governante não é aquele que dirige um país, um estado ou uma empresa, mas o que dirige, ainda que com limitações, seu mundo psíquico.

As mulheres aos pés da cruz

Quem estava mais próximo de Jesus nos momentos finais

de sua vida, seus amigos ou as mulheres? As mulheres. Maria, sua mãe; Maria Madalena; Maria, irmã de Lázaro, e tantas outras mulheres que o seguiam estavam aos pés da sua cruz. A maioria dos discípulos havia batido em retirada amedrontados. As mulheres, depois que o mestre saiu do pretório romano, estavam presentes a cada passo do seu martírio.

Discorreremos adiante sobre Maria, sua mãe. Quero aqui mencionar Maria Madalena. Ela era provavelmente uma prostituta que foi livrada de ser apedrejada porque Jesus a defendeu.[41] Correu risco de vida para protegê-la, pois ela não era para ele mais uma pessoa na massa de judeus, mas um ser humano único. Acolheu-a e não exigiu nada. Ela conquistou um novo significado de vida quando passou a conhecê-lo. Maria Madalena aprendeu a amar a vida, as pessoas e, principalmente, seu mestre.

Agora, ela assistia à sua morte. Madalena gritava em prantos. Imagine a cena. Devia tentar se soltar da multidão e correr para abraçá-lo. Mas muitos a seguravam. Sabia que Jesus era dócil e que vivia em função de cuidar das feridas da alma e do corpo dos homens. Não admitia que aquele que educara sua emoção para ter sensibilidade estivesse morrendo de maneira tão insensível.

A angústia de Madalena fazia coro com o pranto das outras mulheres. Parecia um sonho que o poeta do amor fosse alvo do ódio e da arrogância humana. Parecia um delírio que alguém tão forte e inteligente morresse como o mais vil criminoso. Um pesadelo vivido sob a luz da vigília invadia as pessoas. Jesus havia discursado sobre a transcendência da morte, mas elas o queriam vivo naquele momento.

Separar-se dele era apagar a centelha de esperança numa existência tão breve e tão árida. O desespero das mulheres e da multidão ao redor abalava a estrutura emocional dos soldados romanos. Deviam se perguntar: "Quem é este homem a quem as pessoas amam tanto?". Nunca um crucificado partiu o coração de pessoas de tantas origens.

O amor torna as mulheres mais fortes

Os transtornos emocionais, tais como a depressão e a ansiedade, são mais freqüentes nas mulheres. Aparentemente, os homens são mais sólidos emocionalmente; protegem-se mais e sofrem menos impactos dos estímulos estressantes do que elas.

Não é verdade! As mulheres têm mais transtornos emocionais não porque são mais frágeis, mas porque possuem o campo de energia emocional mais dilatado que o dos homens. Tal característica se deve tanto ao contexto genético quanto, principalmente, ao contexto social.

Como pesquisador do funcionamento da mente gostaria de corrigir um erro que existe há séculos nas sociedades modernas e primitivas que diz que as mulheres são mais frágeis que os homens. As mulheres amam mais, são mais poéticas, mais sensíveis, se doam mais e vivem mais as dores dos outros do que os homens. Além disso, elas são mais éticas, causam muito menos transtorno social e cometem menos crimes do que nós. Por ter uma emoção mais rica do que a nossa, elas têm menos proteção emocional e, conseqüentemente, estão sujeitas a doenças emocionais.

As mulheres são, portanto, paradoxalmente mais frágeis e, ao mesmo tempo, mais fortes do que os homens. Elas adoecem mais no território da emoção porque navegam mais longe. Por isso, não tente entender as reações das mulheres. Muitos comportamentos delas são incompreensíveis, ultrapassam os limites da lógica. Quem foi mais forte, os discípulos ou as mulheres que seguiam Jesus? As mulheres!

As mulheres estavam a alguns metros da cruz de Cristo, observando cada gemido que dava e cada gota de sangue que vertia dos seus punhos e pés. Somente o jovem João estava lá. Pedro, Tiago, Bartolomeu, Felipe e todos os demais discípulos estavam recolhidos nas casas. Sufocados pelo medo, ansiedade e sentimento de culpa.

João, quando descreve a crucificação de Cristo, nem cita seu nome, apenas se denomina como "o discípulo amado".[42] Ao discorrer sobre essa passagem, ele e os demais escritores dos evangelhos prestam uma homenagem às mulheres. Como? Citando-as nominalmente: Maria, mãe de Jesus; Maria Madalena; Maria, esposa de Cloe; Salomé.

Por que as mulheres foram homenageadas? Porque elas aprenderam mais rápida e intensamente do que os discípulos a bela arte de amar. O amor as tornava fortes. O amor as tornava ousadas, mesmo diante do caos da morte. Quem mais cuida dos pais quando estão idosos e debilitados: as filhas ou os filhos? Normalmente são as filhas. Elas se doam mais, porque amam mais.

Um homem, Jesus, possuiu uma emoção mais forte e rica do que a das mulheres. Nunca se viu alguém com uma emoção tão sólida e amável como a dele. Ele foi o mais excelente mestre da emoção.

As mulheres sempre foram mais fortes para enfrentar a dor do que os homens, embora sejam mais vítimas dela. Haja vista que as faculdades de medicina estão cada vez mais sendo dominadas pelas mulheres.

Contemplar a morte de Jesus não era para qualquer pessoa.

A cena era chocante. Só as pessoas fortes poderiam estar aos pés da sua cruz. Só o amor sólido era capaz de vencer o medo. Se não tiver um amor sólido, você terá dificuldade para enfrentar determinados obstáculos e para estender suas mãos para algumas pessoas.

Há uma história verídica que ocorreu na África. Uma mãe enfrentou um leão para salvar seu próprio filho. Seu amor por ele a tornou mais forte do que a fúria de um animal feroz. O amor torna o ser humano capaz de fazer coisas acima de seus limites. Quando o amor é grande não há obstáculo intransponível.

Enquanto Jesus era o mais forte dos homens, seus discípulos disputavam entre si quem era o maior e quem se assentaria à direita ou à esquerda do seu trono. Mas quando assumiu plenamente a condição humana e deixou de fazer milagres, eles fugiram.

É fácil seguir um homem poderoso, mas quem se habilita a seguir um homem frágil e debilitado? As mulheres se habilitaram. Elas passaram no teste do amor. Os homens foram reprovados. Temos de aprender com as mulheres a arte da sensibilidade. Felizmente, tenho quatro mulheres na minha vida, minha esposa e três filhas. Elas estão sempre cuidando de mim, corrigindo minha maneira de vestir, administrando meu tempo, me dando carinho e me ensinando a amar.

O único problema é que as mulheres, por terem uma emoção mais dilatada, costumam ser alvos mais fáceis das propagandas e, por isso, às vezes, gastam mais do que precisam. Mas ninguém é perfeito.

Jesus não condenou seus discípulos por tê-lo abandonado e nem exigiu nada deles, apenas os compreendeu. Nós somos rápidos para exigir e lentos para compreender.

Eles desistiram do seu mestre, mas o mestre não desistiu de nenhum deles. Que mestre é esse que ensina as mulheres a refinar a arte de amar e que dá todas as chances para os homens educarem a sua emoção?

As mulheres passaram no teste do amor. Jesus era mais importante do que todo o ouro do mundo, mais importante que seu próprio medo. Nas turbulências revelamos quem somos.

Da próxima vez que estiver atravessando uma crise social, financeira e emocional, não se esqueça de que você será testado. Não reclame, não fuja, aprenda a navegar nas águas da emoção. Aprenda a amar as pessoas maravilhosas que estão ao seu lado. Elas valem mais que todo o dinheiro do mundo.

A síndrome SPA: o adoecimento coletivo

Os homens do sinédrio e da política romana ficavam incomodados com os comportamentos de Jesus. Um homem torturado e prestes a ser crucificado deveria ser parceiro do desespero e da agressividade. Mas a sensibilidade e a coragem habitaram na mesma alma.

Sua postura inabalável chocava seus inimigos. Eles o espancavam, mas ele os perdoava. Eles o odiavam, mas ele os amava. Eram intransigentes, mas ele vestia sua emoção de calmaria. O mundo estava agitado ao seu redor, mas ele, ainda que ficasse ansioso por alguns momentos, logo se reorganizava. Nunca virtudes tão belas foram encenadas de maneira tão admirável no palco da mente humana. Sua qualidade de vida era extraordinária.

Tenho feito pesquisas sobre os níveis de *stress*, ansiedade e sintomas psicossomáticos nas diversas profissões. A qualidade de vida do homem moderno está debilitada. As pessoas têm sido vítimas da síndrome SPA[X], a síndrome do pensamento acelerado. Tal síndrome não é uma doença psiquiátrica em si, embora possa desencadeá-la. Ela representa um estilo de vida doentio.

A vida já tem suas complicações e, por termos uma mente agitada, que não se desliga dos problemas, nós a complicamos ainda mais. Quando descobri essa síndrome, percebi que ela é epidêmica. Atinge, em diferentes graus, a grande maioria das pessoas das sociedades modernas. Suas características são: pensamento acelerado, cansaço físico exagerado e inexplicável, irritação, déficit de concentração, déficit de memória, insatisfação, humor flutuante, etc.

Quem tem a síndrome SPA não pára de pensar nos problemas que ainda não aconteceram. Tem mais prazer nos desafios do que nas conquistas. Nunca descansa sua emoção. Não suporta a rotina, pois não sabe destilar o prazer nas coisas simples da vida. É freqüente acometer pessoas muito responsáveis, mas que não sabem desacelerar seus pensamentos. Vivem para pensar e não pensam para viver.

Muitos colegas cientistas não perceberam que o mundo está mais violento não apenas porque temos tido falhas na educação escolar e familiar, mas também, e principalmente, porque o ritmo de construção de pensamento do homem moderno acelerou-se de um século para cá.

No passado, o homem pensava em um ritmo mais lento, excitava menos sua emoção e desencadeava menos ansiedade, flutuação de humor, agressividade, intolerância às contrariedades. Hoje, o homem não desliga sua mente. Ele desliga o carro, o computador e o televisor, mas não sabe desligar sua mente. Alguns sonham demais e outros têm insônia.

Pensar é um processo inevitável para o homo sapiens,

ninguém consegue parar de pensar, apenas desacelerar e administrar os pensamentos. Até a tentativa de parar de pensar já é um pensamento. Mas pensar excessivamente é um problema. Se você pensa demais, certamente gasta energia exagerada do seu cérebro e tem como conseqüência uma fadiga excessiva. Se seu médico não for bem informado, achará que você está anêmico ou estressado e lhe prescreverá vitaminas. Se você se alimenta direito, as vitaminas não o ajudarão, pois seu problema está em seu estilo de vida, você está com a síndrome SPA.

Quais as suas causas? Uma delas é o excesso de informações. A cada dez anos as informações dobram no mundo. As outras causas estão ligadas ao excesso de preocupações sociais, problemas existenciais, atividades sociais e profissionais. As crianças estão com excesso de atividades, elas não têm nem tempo para brincar.

Uma criança de sete anos tem mais informações que uma pessoa idosa de setenta anos de cultura média. Uma memória abarrotada com informações freqüentemente pouco úteis gera uma hiperaceleração de pensamentos e, conseqüentemente, a síndrome SPA. Por isso elas são inquietas e agitadas em sala de aula. Também por isso é difícil entrar no mundo delas e influenciá-las. Elas acham que entendem de tudo, mas têm pouquíssima experiência de vida. Confundem informações com experiências. Agora podemos entender porque as teorias educacionais e os manuais de comportamento não funcionam mais.

Na época de Cristo sobreviver era uma arte. Havia fome, miséria, preconceitos e pressões políticas. Entretanto, a mente dos homens era menos agitada e mais tranqüila. Havia mais solidariedade, diálogo, afetividade entre as pessoas. Hoje, o mundo moderno tornou-se doentio.

A paranóia da estética, a preocupação excessiva com cada grama e cada curva do corpo tem destruído a auto-estima de milhões de pessoas, principalmente dos adolescentes e das mulheres.

A paranóia de ser o número "um" gera uma competição predatória que tem consumido os melhores anos de vida de funcionários e executivos. A paranóia do consumismo tem feito inúmeras pessoas viverem em função de necessidades que não são prioridades. Todas essas situações invadem a mente humana e estimulam excessivamente os fenômenos que lêem a memória e constroem pensamentos[XI], gerando a síndrome SPA.

Os meios de comunicação tão importantes para a democracia e a liberdade de expressão acabam produzindo um efeito colateral pernicioso. Na época do mestre da vida, as pessoas raramente ficavam sabendo das notícias ruins que aconteciam num raio que ultrapassasse vinte ou trinta quilômetros de suas casas.

Atualmente, todos os dias, as misérias dos vários continentes são trazidas a nós em questão de segundos. Os ataques terroristas, os massacres entre hindus e mulçumanos na Índia, os conflitos entre judeus e palestinos penetram não apenas em nossas casas, mas também em nossas memórias.

O mundo está sério demais. O sorriso há muito tempo deixou de ser manchete. As misérias humanas é que são manchetes. Por isso, neste livro, minha ênfase não é dada à dor do mestre da vida, mas à sua capacidade de enfrentá-la, à sua habilidade magnífica de brilhar no caos, à sua motivação para amar as pessoas e viver na plenitude cada minuto até o último suspiro existencial.

Você consegue ver além dos horizontes dos seus problemas e proclamar a plenos pulmões que vale a pena viver?

Devemos desligar um pouco a TV, fechar um pouco os jornais e voltar a fazer coisas simples: andar descalço na areia, cuidar de plantas, criar animais, fazer novos amigos, conversar com vizinhos, cumprimentar as pessoas com um sorriso, ler bons livros, meditar sobre a vida, expandir a inteligência espiritual, escrever poesias, rolar no tapete com as crianças, rir de nossa seriedade, fazer do ambiente de trabalho um oásis de prazer e descontração.

Apareça de vez em quando vestido de palhaço para seus filhos ou para as crianças internadas nos hospitais. Dê um banho na síndrome SPA. Aquiete a sua mente, mude seu estilo de vida. Mude a sua agenda.

As pessoas gostam de estar em sua presença? Se você for uma pessoa agradável, você é uma pessoa rica, ainda que não tenha dinheiro. Se for desagradável, ainda que seja rica, será apenas suportável.

Aprenda com o mestre da vida a ter uma vida social e emocional riquíssima. Ele era sociável, tinha inúmeros amigos, gostava de participar de festas, se convidava para jantar na casa de pessoas que não conhecia[43], tinha tempo para olhar as flores dos campos, andava na areia, abraçava as crianças, era um excelente contador de histórias, era um exímio observador da natureza, falava dos mistérios da existência, gostava de freqüentar jardins, fazia muito do pouco, exalava felicidade, destilava tranqüilidade, fazia poesia de sua miséria. Jesus Cristo era uma pessoa tão agradável que as pessoas disputavam para ficar ao seu lado.

Uma infância saudável não garante uma personalidade saudável

Você não precisa ter tido uma infância doentia para se

tornar um adulto doente, como acreditavam alguns pensadores da psicologia. Basta ser vítima dos seus pensamentos negativos e não administrar as suas emoções tensas que os estímulos estressantes do mundo moderno são suficientes para causar-lhe transtornos psíquicos.

Como está seu estilo de vida? Será que você apazigua as águas da emoção com serenidade? Quando criança talvez você fosse apaixonado pela vida e vivesse sorrindo sem grandes motivos. Mas, e agora? O tempo passou e, hoje, talvez já não sorria com tanta freqüência ou precise de grandes motivos para se animar.

Uma das coisas que mais preocupava Jesus era a saúde psíquica dos seus discípulos. Ele queria produzir homens livres e não dominados por preconceitos ou pensamentos negativos. Ao convidar os homens a beber de uma água viva que emanava do seu interior, desejava que eles fossem felizes de dentro para fora. Ao encorajá-los a não ser ansiosos, estimulava-os a dominar a agitação emocional e os pensamentos antecipatórios.

É possível que você esteja tão ocupado que nem ache tempo para falar com uma pessoa muito importante: você mesmo. É provável que você cuide de todo mundo, mas tenha se esquecido de você. Será que você não vive a pior solidão do mundo, a de ter abandonado a si mesmo? Você organiza seu escritório e sua casa, mas não se preocupa em debelar os focos de tensão em sua memória.

Será que, devido à síndrome SPA, você não envelheceu no único lugar em que não é permitido envelhecer, no seu espírito e emoção? É preciso romper o cárcere da emoção. O destino é freqüentemente uma questão de escolha. Opte por ser livre. O mestre da vida discursou de várias maneiras que felicidade é uma questão de transformação interior, de treino emocional, e não um dom genético. Não se esqueça de que muitos querem o pódio, mas desprezam a labuta dos treinos.

Os parâmetros da normalidade na psiquiatria

Jesus não vivia a síndrome SPA. Não sofria por antecipação. Sabia quando e como iria morrer, mas governava seus pensamentos com incrível habilidade. Fez da sua capacidade de pensar uma arte. Tinha plena consciência de que se não cuidasse da quantidade e da qualidade dos seus pensamentos não sobreviveria. Sucumbiria pela ansiedade, pois muitos conspiravam contra ele.

Era tão cônscio da necessidade do homem de ser líder dos seus pensamentos que inaugurou a psicologia preventiva quase dois mil anos antes de a psicologia moderna existir. Almejava que seus discípulos aquietassem seus pensamentos e não vivessem em função dos problemas que ainda não tinham ocorrido.

O que determina o que você sente? O que você pensa. São os pensamentos que determinam a qualidade da sua emoção. Se você é uma pessoa que produz freqüentemente pensamentos tensos e negativos, não espere ter uma emoção alegre e segura. Se você não consegue diminuir a velocidade de construção dos seus pensamentos, não espere ter uma emoção tranqüila.

A não ser pelo uso de drogas ou alterações metabólicas, as emoções são derivadas dos pensamentos, ainda que eles não sejam bem definidos e conscientes. Recapitulando: o que você pensa determina o que você sente; o que você sente determina a qualidade do que registra em sua memória; o que você registra em sua memória determina os alicerces de sua personalidade.

Em psiquiatria os limites entre o normal e o patológico

(doente) são muitos tênues. O que é uma pessoa psiquicamente normal ou doentia? Antigamente muitos foram injustamente taxados como loucos, porque simplesmente fugiam ao padrão trivial do comportamento social. Devemos respeitar a cultura, a religião, as características de personalidade e até os maneirismos dos outros. Se você não é capaz de respeitar as pessoas que o rodeiam porque elas são diferentes de você, então não será capaz de respeitar a si mesmo, pois não se perdoará quando falhar e perceber que não é perfeito. Tal respeito deriva-se do fato de que não temos parâmetros seguros do que é normal e anormal na mente humana.

Mas será que não podemos estabelecer parâmetros universais para a sanidade psíquica capazes de transcender os ditames culturais? Sim, embora com limites. Esses parâmetros derivam das características mais nobres da inteligência e sustentam a preservação da vida e a paz intra e extrapsíquica: a tolerância, a solidariedade, a amabilidade, a inclusão, a flexibilidade, a sensibilidade, bem como a tranqüilidade nas dificuldades, a segurança nos objetivos, o respeito pelas diferenças culturais, a capacidade de se colocar no lugar dos outros e perceber suas dores e necessidades, a capacidade de superação das perdas e frustrações.

Se considerarmos tais parâmetros para estabelecer a sanidade psíquica, então, confirmaremos que o mestre da vida atingiu o apogeu da saúde emocional e intelectual. Ele viveu na plenitude todas essas características.

Ele provavelmente foi o único que teve a capacidade de chamar um traidor, Judas, de amigo e dar-lhe uma oportunidade preciosa para que reeditasse sua biografia no ato da traição. Foi o único que desculpou homens indesculpáveis, enquanto morria agonizantemente. Foi o único que abriu todas as janelas de sua mente, quando só era possível reagir por instinto animal. Ele falou palavras inefáveis, apesar de sua boca estar edemaciada e sangrando...

CAPÍTULO 6

A 1ᴬ HORA: CUIDANDO DE SEU PAI E PERDOANDO HOMENS INDESCULPÁVEIS

Um homem que fez poesia no topo da dor

Um dia, um ilustre poeta, chamado Ferreira Gullar, disse numa entrevista que a dor física é paralisante, não inspira a poesia. Ele tinha razão. Não é possível produzir idéias brilhantes quando o corpo é submetido à dor física, pois os instintos prevalecem sobre a capacidade de pensar.

A dor emocional pode ser criativa quando o humor triste e a ansiedade não são intensos. Nesse caso, a criatividade, seja pela produção de um texto filosófico, uma poesia, uma escultura, se torna uma tentativa intelectual de superação. A mente cria para superar a dor e arejar a emoção. Quem não cria na dor, represa sua emoção.

Se a dor emocional ou a ansiedade for intensa, fecha-se o território de leitura da memória e aborta-se a capacidade de pensar. Por isso, raramente alguém escreve livros ou produz qualquer outra arte se estiver numa profunda crise depressiva. Vários filósofos e pensadores das ciências brilharam no mundo das idéias quando estavam angustiados, mas travaram a inteligência quando estavam deprimidos.

Um poeta pode ser criativo quando sua dor emocional é mediana, mas fica estéril quando está com dor física. As cefaléias, as cólicas, as feridas físicas, as dores de dente ou outras dores orgânicas trituram a criatividade. Não espere nenhum raciocínio profundo de alguém que está com as raízes nervosas afetadas.

Vamos analisar o início da crucificação de Jesus. Será que ele nos surpreenderá dessa vez? Pode-se esperar dele algo além do desespero, de bramidos de dor? Do ponto de vista psicológico é humanamente impossível produzir pensamentos altruístas na cruz. Contudo, esse homem mais uma vez abala os alicerces da psicologia. Ele foi poético, afetivo, profundo e solidário.

O mestre da vida conseguiu ter reações que nem os mais nobres humanistas teriam quando estão em plena saúde. No ápice da dor física e emocional, produziu as mais belas poesias da solidariedade. Por isso, foi sem dúvida um grande poeta da vida. Que homem é esse que consegue cultivar as mais belas flores nos mais intensos invernos? Que homem é esse que, castigado pela sede, procura umedecer a alma dos aflitos?

Tratei de diversos pacientes do mais alto nível cultural, dei treinamento para psicólogos e conferências para milhares de educadores, executivos, médicos e outros profissionais, mas nunca observei alguém com características de personalidade próximas às do mestre dos mestres. Há um mundo belo e complexo que pulsa dentro de cada pessoa, mas a alma do mestre de Nazaré não era simplesmente bela, mas inexprimível, encantadora.

O homem Jesus flamejou labaredas numa noite escura e sem luar. Suas palavras soavam como gotas de orvalho numa terra seca de sensibilidade. É provável que muitos leitores se convençam de que, embora ele seja a pessoa mais famosa do mundo, também é a menos conhecida.

Se os homens fossem saturados pela grandeza da sua humanidade, haveria mais felicidade e menos tristeza em nosso belo planeta. A guerra por alguns acres de terra e os conflitos entre as religiões seriam extirpados. O perfume da solidariedade seria exalado entre os povos.

O mestre da vida pertence, não a um grupo de pessoas ou a uma religião, mas a toda a humanidade. Muitos cristãos pensam que Jesus só veio para eles, mas ele veio para todos os povos. Todos são dignos de conhecer e amar o poeta do amor. O apóstolo Paulo criticou a atitude sectária de alguns que se diziam de Cristo e excluíam os demais.[44]

Ele veio para os judeus, para os budistas, para os hinduístas, para as tribos africanas, para os ateus. Maomé exalta Jesus no Alcorão. Ele também veio para os árabes. No seu plano transcendental, não há distinção de cor, raça, religião, cultura.

Proferindo oito frases e um brado na cruz. As seis horas mais importantes da história.

Durante sua vida, Jesus nos deixou perplexos e, durante sua morte, nos deixou atônitos. Livre, discursou palavras que não cabiam no imaginário humano e, crucificado, proferiu frases que não cabem no dicionário dos mais nobres humanistas.

Qualquer pessoa que pretenda compreender mais profundamente os fenômenos existenciais e desenvolver as funções mais importantes da inteligência, na qual se inclui a educação da emoção, a arte de pensar, a arte de expor e não impor as idéias, deve gastar tempo para compreender os últimos suspiros de Jesus Cristo.

Ele foi crucificado na hora terceira do dia[45], o dia dos judeus começava às seis da manhã. Portanto, a terceira hora do dia corresponde às nove da manhã do horário moderno. Foram seis horas de mistérios, das nove da manhã até às três horas da tarde. Nunca uma manhã foi tão dramática e nunca uma tarde foi tão aflitiva.

Nessas seis horas, ele proferiu oito frases e produziu um brado final. Estudaremos uma a uma todas as frases e suas implicações. Quatro delas proferiu nas primeiras três horas e as quatro últimas proferiu próximo à última batida do seu coração.

Foi a primeira vez que se descreveu na literatura que um Pai amou intensamente seu filho e o viu morrer lentamente sem fazer nada. O Pai tinha todo poder do mundo para resgatar seu filho, mas silenciou-se. O filho implorou para o Pai não intervir. Que mistério está por detrás desse imenso cenário? Vale a pena imergirmos nessa análise, ainda que haja muitos limites para fazê-la.

Primeira Frase: "Pai, perdoa-os porque eles não sabem o que fazem..."

Quem foi crucificado primeiro, Jesus ou os criminosos ao seu lado? Não sabemos. Se for pela ordem, primeiro foi crucificado um criminoso, depois Jesus e, em seguida, outro criminoso ao seu lado. Jesus estava no centro. Não cometeu injustiça, mas lhe deram lugar de destaque.

Os primeiros minutos de um trauma são os mais dolorosos. O primeiro ladrão suava frio, estava taquicárdico, desesperado e se movimentava sem parar tentando escapar dos pregos. Produzia clamores ensurdecedores. Seus gritos ecoavam por todo o Calvário: "Não! Não façam isso comigo! Pelo amor de Deus, me soltem!". Tornava-se uma criança suplicando proteção dos seus pais, mas ninguém o ouvia. Todas as suas células reagiam instintivamente procurando preservar a vida.

Algumas de suas palavras eram compreensíveis, mas a maioria eram apenas sons. Ele lutava desesperadamente para viver. Suas mãos não se posicionavam na cruz. Os soldados o espancavam e o continham. Sem obter clemência, sua emoção foi invadida pelo terror. Odiou os soldados, a vida e o mundo.

O primeiro prego penetrou fundo em seu punho. Ficou confuso pela súbita dor, o mundo escureceu, sentiu vertigem e tudo passou a girar à sua volta. Chorava e esbravejava sem parar. Não era mais um homem na cruz, mas um animal enraivecido. Os demais pregos foram mais fáceis. Ao ser levantado e fixado de pé, tentava se despregar. Movia-se sem parar e, quanto mais se movia, mais os pregos roçavam as raízes nervosas dos punhos e dos pés. O resultado era uma dor insuportável. O anestésico romano que havia ingerido aliviava, mas não extirpava a sua dor.

Na primeira hora ficou perturbado. O *stress* pós-traumático produzido pelos cravos perturbou-lhe a consciência. Não se podia entender o que dizia. Daria o mundo inteiro em troca da paz. Se tivesse outra chance, voltaria ao passado, arrastar-se-ia no chão, seria o mais bem comportado dos homens, mas não queria a dor dos cravos.

Chegou a vez de Jesus. Vários soldados o agarraram. Tentavam contê-lo como o primeiro criminoso, mas não foi necessário. Sempre foi gentil e nunca se esquivou dos seus inimigos. Ele mesmo deve ter posicionado seus punhos e pés sobre o madeiro. Sofria como qualquer mortal, mas não tinha medo da dor.

Os soldados não entendiam as suas reações. Que disposição esse homem tinha para ser cravado na cruz se não tinha tomado anestésico? Jesus estava também com o coração acelerado, suava bastante e estava ofegante. Governava seu corpo como um maestro rege uma orquestra. Os instintos estavam exacerbados, mas ele resgatava a liderança do eu e conservava sua lucidez segundo após segundo.

Os soldados posicionaram o prego em seu punho, levantaram o martelo e de uma só vez cravaram-no no madeiro. O mestre do amor gemeu de dor, mas não odiou os soldados nem a vida. Os soldados devem ter ficado estarrecidos. Ele sofria sem gritar, não se debatia nem se esquivava. Nunca foi tão fácil crucificar um homem. Desse modo crucificaram o único ser humano que sabia quando e como iria morrer, que antevia que morreria com as mesmas ferramentas com que sempre havia trabalhado.

Uma frase inimaginável

Deveria estar emitindo brados de dor. Seus gemidos eram intensos, mas silenciosos. Nenhum dos seus biógrafos relatou desespero. Descreveram que sua alma estava profundamente angustiada na noite em que foi preso, mas na cruz ninguém relatou o que se esperava, uma ansiedade volumosa e incontrolável.

Parecia que, depois de se preparar para tomar o seu cálice, ele também tinha se preparado, com incrível habilidade, para seu caos. Sua respiração estava ofegante. Seu corpo estava trêmulo de dor e procurava constantemente uma posição confortável apoiando-se em seus pés. Mas não havia zona de conforto, toda posição era insuportável.

Na primeira hora da cruz, era impossível pensar, raciocinar ou produzir qualquer idéia inteligente, que dirá afetiva. Porém, quando todos esperavam que no ápice da sua dor Jesus abolisse a sua lucidez, ele encosta na cruz, sente dores por essa manobra, enche os seus pulmões e proclama altissonante: "Pai, perdoa-os porque eles não sabem o que fazem".[46]

O mestre da vida deveria estar confuso pelo *stress* pós-traumático, mas estava plenamente consciente. Analisei inúmeras vezes essa frase. Ela não foi inventada pelos seus biógrafos, até porque é sintética, não objetivava ostentação. Além disso, é pouco provável que seus discípulos a tenham entendido plenamente durante suas vidas. Aliás, creio que ela jamais será compreendida plenamente por nós, pois, como estudaremos, envolve fenômenos que estão nos bastidores da cruz. Concluí que essa frase foge completamente à lógica intelectual.

Algumas pessoas são especialistas em conquistar inimigos. Por não serem flexíveis e por almejarem que o mundo gravite em torno de suas verdades, estão sempre enfrentando problemas com quem convivem. Outras são mais sociáveis, mas perdem completamente a gentileza quando estão estressadas ou frustradas. Às vezes, se controlam com os de fora, mas são agressivas e intolerantes com seus familiares.

Na história, a tônica sempre foi excluir os inimigos. Aos amigos, a tolerância; e aos inimigos, o desprezo e o ódio. Entretanto, houve um homem cujas reações estavam completamente na contramão da história. Jesus Cristo enxergava o ser humano, mesmo seus inimigos, além da cortina dos seus comportamentos. No ápice da dor, ele ainda conseguia compreendê-los, tolerá-los e incluí-los.

Quem poderia imaginar um personagem como ele foi? Nem a filosofia, em seus delírios utópicos, conseguiu idealizar um homem como o mestre dos mestres.

Oito grandes implicações da primeira frase de Cristo

Os textos são claros. Jesus disse uma das suas mais célebres frases, talvez a maior delas, no cume da sua dor, na primeira hora da sua crucificação.

Ao clamar: "Pai, perdoa-os porque eles não sabem o que fazem", Jesus resume em poucas palavras a sua grande missão, o seu projeto transcendental e as entranhas do seu ser. Esse pensamento é sobremodo elevado, possui tantas vertentes que, como disse, é impossível entendê-lo na plenitude.

Tal frase preparou o caminho para que ele produzisse um outro pensamento mais incompreensível ainda. Só que esse foi verbalizado nos últimos minutos de sua vida. Nele, Jesus volta-se agoniado para Deus e pergunta por que Ele o abandonou. Estudaremos todos esses pensamentos detalhadamente.

A primeira frase e as circunstâncias nas quais a proferiu têm tantas implicações que são dignas de um livro. Vou tentar resumi-las destacando-as uma por uma. Tais implicações representam algumas das pedras preciosas mais importantes que garimpei na história do homem Jesus.

Primeira: os bastidores da cruz

A primeira implicação está implícita. Ao mencionar a palavra "Pai" no primeiro pensamento, Jesus indica que, além dos eventos exteriores da cruz, como a trave de madeira, o seu sangramento, os soldados, a multidão, existiam eventos ímpares que estavam por detrás do cenário.

Ao citar seu Pai numa ação verbal ("Pai, perdoa-os"), revelou que para ele havia um personagem invisível que era o principal expectador do seu caos. Jesus era uma pessoa misteriosa. Os demais criminosos estavam atormentados, mas ele estava enxergando um filme que ninguém via. Nesse filme, seu Pai era o ator principal. Ninguém via o que ele via e ninguém conseguia entender o que se passava em sua mente.

Havia milhares de pessoas assistindo ao espetáculo da sua morte. Elas estavam espremidas, próximas umas das outras. Lá estavam também alguns fariseus, escribas e sacerdotes acompanhando seus últimos momentos. Eles o provocavam desafiando o seu poder.

Jesus estava debilitado, mas parecia que sua mente e seu espírito permaneciam concentrados em seu Pai. Ele encontrava energia por detrás do cenário. A multidão estava profundamente combalida e angustiada, mas havia alguém nos bastidores que estava reagindo e sofrendo mais do que toda a platéia visível. Que mistério é esse?

Segunda: O Pai não era um delírio produzido pelo stress

Quem é Deus? Por que se esconde atrás da cortina do tempo? Por que não mostra claramente a sua face? Ele criou bilhões de galáxias com milhões de planetas e estrelas em cada uma delas. O universo é grande, mas nossas dúvidas sobre o Autor da existência são ainda maiores.

Muitos crêem em Deus com facilidade. O mundo, com todos os seus fenômenos, é uma obra espetacular que revela a sua grandeza. Para eles, Deus assina essa obra quando as flores se abrem na primavera, quando as nuvens vestem o céu e entornam água para irrigar a terra, quando os pássaros alimentam seus filhotes sem nunca se esquecer da direção dos seus ninhos, quando uma mãe abraça seu filho e o ama mesmo que ele erre e a frustre muito.

Outros têm dificuldade de crer em Deus. Mergulham suas idéias num mar de dúvidas e indagações. Alguns se posicionam como ateus. Embora não haja ateus puros, pois todo ateu radical se posiciona como deus. Por quê? Porque, embora não conheçam todos os fenômenos do universo, não entendam os limites da relação tempo-espaço e nunca tenham participado dos eventos fora do parêntese do tempo, afirmam categoricamente que não há Deus, então eles se fazem deuses. Pois só um deus pode ter tal convicção.

Já fui convicto desse modo. Para mim, Deus era fruto de nossa imaginação. Hoje, conhecendo o funcionamento da mente humana e analisando os detalhes da personalidade de Jesus Cristo, penso que crer em Deus é um ato inteligentíssimo. Todos os povos ansiaram por encontrar Deus, não como sinal de fraqueza, mas de refinar uma das inteligências mais importantes da humanidade e que sempre foi desprezada pelas ciências: a inteligência espiritual.

Inteligência espiritual é respaldada na crença em Deus para nutrir a esperança de um dia resgatar a identidade da personalidade quando a morte destruir de maneira irreversível a colcha de retalhos da memória que sustenta a construção de pensamentos e a consciência de quem somos. É a esperança de ser livre para continuar a exercer a arte de pensar através da continuação do espetáculo da vida. Embora discorra sinteticamente sobre a inteligência espiritual, faço aqui uma análise psicológica. Os caminhos que dependem da fé devem ser trilhados segundo a consciência de cada leitor.

O mestre da vida sempre discorreu sobre a continuação do espetáculo da vida. Sempre colocou a existência de Deus como um fato consumado. Ele era tão ousado e seguro que dizia claramente que o Criador do universo era seu próprio Pai.[47] Ele estava delirando quando afirmou isso? O *stress* da cruz o fazia passear pelas raias da imaginação? Não!

Ninguém pode acusá-lo de delírio nem antes nem durante o terror da cruz, pois ele exalou, como nenhum outro homem, o perfume da sabedoria, da humildade, da inclusão e do respeito humano. Jesus sempre foi coerente em suas idéias. Falou, não só, quando estava livre, mas também quando todas as suas células morriam, que tinha um Pai. Isso lhe dá uma credibilidade sem precedente nas palavras ditas antes de morrer.

Quando ele falava sobre Deus e sobre a relação que mantinha com Ele, não deixava margem para dúvidas. Suas convicções eram sólidas.[48] Para Cristo, o universo com milhões de eventos, fenômenos e princípios físicos e metafísicos não surgiu por acaso. Era fruto de um grande Criador. Esse Criador fica nos bastidores de sua criação, não aprecia, como nós humanos, se ostentar e alardear seus feitos. Ele almeja ser encontrado pelos que conhecem a linguagem do coração.

O universo é uma caixa de mistérios. A cada geração o compreendemos de maneira diferente. As verdades científicas de hoje deixam de ser verdades e assumem novas roupagens com as novas descobertas. Você não acha sua vida um mistério? O tecido íntimo da sua alma esconde inumeráveis segredos que nem você mesmo compreende. De fato, eu, você e o universo inteiro somos misteriosos.

Se o universo é uma caixa de segredos, imagine como não deve ser misterioso o seu Autor. Se seu Autor é misterioso, imagine como não é misterioso o fato desse Autor ter um filho. Só não consegue ficar perplexo com as biografias de Jesus quem nunca abriu as janelas de sua mente e do seu espírito para compreendê-las.

Jesus e seu Pai continuam sendo um grande enigma para teólogos e cientistas. Conhecemos apenas a ponta do grande iceberg da realidade e da relação entre ambos. Imaginem a cena. Deus criou um universo que nos deixa boquiabertos. Ele é detalhista para criar as gotas de orvalho e poderoso para criar os buracos negros no espaço que destroem planetas inteiros.

Embora o Criador seja tão grande em poder e imenso em sabedoria, seu filho estava agonizando na cruz. Quem pode desvendar esse mistério? Quais os fundamentos do amor que fizeram ambos se sacrificarem de maneira insuportável por uma humanidade destituída de sensibilidade?

Qualquer pai entraria em desespero ao ver seu filho sangrando e sofrendo. Muitos, sem vê-los feridos, já sofrem tanto por eles. Imagine as emoções que pulverizavam o espetáculo da morte de Cristo. Na platéia havia lágrimas, mas nos bastidores da cruz havia soluços inaudíveis. Um personagem invisível estava sofrendo inconsoladamente pelo seu filho. Deus estava chorando...

Terceira: Um relacionamento íntimo entre o Filho e o Pai

A terceira implicação da primeira frase de Jesus refere-se ao relacionamento íntimo dele com seu Pai. As reações inteligentes que teve em seu martírio foram tão fascinantes que parecia que havia alguém de fora que o estava sustentando.

Enquanto estava livre, orou muitas vezes. Suas orações eram abertas, afetivas, espontâneas, enfim, construídas através de um diálogo profundo e pouco compreensível a nós.

O carpinteiro de Nazaré tinha trânsito livre com o Autor da vida. Jesus era eloqüente, seguro, sábio, enfrentava sem medo o mundo e a morte. A relação com seu Pai o sustentava. Os escritores de suas quatro biografias não descreveram essa relação, mas a apontaram em muitos textos.[49]

É difícil a psicologia interpretar a relação entre o Pai, Deus, e seu filho, Jesus. As dificuldades de interpretação são enormes, pois os elementos são poucos, mas o pouco que podemos avançar é fascinante. É igualmente fascinante saber que não apenas a teologia, mas a psicologia, talvez pela primeira vez, esteja analisando com respeito esses eventos.

Temos poucos elementos para pesquisar, tão pouco como a teologia. Não pense que Jesus não gostava de ser pesquisado. Algumas vezes até instigava as pessoas a pesquisá-lo. Certa vez, disse: "O que diz o povo que eu sou?..."[50]; outra vez disse: "O que vocês pensam do Cristo, de quem ele é filho?"[51]. Ele não queria seguidores cegos, mas pessoas que o conhecessem e, que por conhecê-lo, o amassem.

Você aprecia que as pessoas o pesquisem ou se considera intocável? Você tem coragem de perguntar para seus filhos, amigos e colegas de trabalho o que eles pensam de você? Quem não nos conhece profundamente não tem condições de manter uma relação íntima e afetiva conosco. O amor não é cultivado em terreno intacto, mas em solo explorado.

Veja os segredos que norteavam a relação de Deus com seu filho. O Pai era invisível, o filho era visível. Um procurava agradar o outro. O filho elogiava constantemente o Pai, o Pai dizia que Jesus era seu filho amado.[52] Quem pode desvendar as tramas dessa relação? A relação social entre eles é tão complexa e esplêndida que não foi prevista nos compêndios da sociologia.

O diálogo entre o Pai e o filho nos bastidores da sua cruz beira ao inimaginável. Há indicação de que ele deve ter produzido inúmeros diálogos com seu Pai e apenas alguns exteriorizou e foram registrados. Eles eram unidos e se amavam profundamente. Um se preocupava constantemente com o outro, um procurava agradar o outro. Jamais se viu uma relação tão afetiva!

Ambos possuem características de personalidades semelhantes. Contudo, a personalidade deles foge completamente às características das nossas, independentemente de nossa cultura e condição social. Que características são essas?

O Pai estava nos bastidores do teatro da vida, o filho estava no palco. Ninguém viu o Pai, mas o filho o revelou.[53] Quando todos esperavam que o filho revelasse claramente o Autor da vida e resolvesse nossas dúvidas sobre os mistérios da existência, eis que continuamos confusos. Por quê? Porque o filho possui características de personalidade que fogem aos limites da lógica humana. Elas são tão belas que chocam a psicologia. Vejamos.

O filho poderia querer ter vassalos e serviçais, mas preferiu o aconchego dos animais. Poderia desejar ser o mais proeminente intelectual, fundar a mais brilhante escola de pensamento, mas preferiu entalhar madeiras e posteriormente se misturar com um bando de pescadores.

Poderia ter o conforto de um palácio, mas preferiu dormir ao relento. Agora, mais uma vez, ele confunde nossa mente. Era de se esperar que na cruz ele odiasse seus carrascos e desejasse exterminá-los. Contudo, para nosso espanto, ele reúne as parcas forças que tem para defendê-los. Disse "Pai, perdoa-os...". Como isto é possível?

"Perdoa-os" por quê? Que motivo ele tinha para perdoá-los? Nenhum! Os mesmos homens que o crucificaram foram os que zombaram dele e o açoitaram na casa de Pilatos. Quem é esse homem que mesmo esmagado pela dor consegue amar?

Quarta: as limitações do Todo-poderoso: a loucura do amor

Deus é onipresente. O tempo para ele não existe. Ele está em todo tempo e em todo lugar. Ele é o alfa e o ômega; está, portanto, nas duas pontas do tempo, no começo e no fim.[54] Nossa frágil mente não consegue imaginar sua grandeza. Embora o tempo não exista para Ele, quando seu filho morreu, o tempo parou pela primeira vez.

As seis horas da crucificação foram mais longas do que todo tempo decorrido na eternidade passada. Quanto tempo se passou na eternidade passada? Milhões de anos são frações de segundos. A matemática entra em colapso ao imergir nos cálculos sobre a eternidade passada, bem como sobre a futura.

Deus também é onisciente. Está em todo tempo e em todo lugar. Tem consciência instantânea de milhões de eventos e fenômenos. Somos intelectualmente limitados, construímos um pensamento por vez e nos concentramos num evento por vez. Mas o Deus descrito nas Escrituras é ilimitado. Contudo, ao ver seu filho morrer, ele provavelmente se esqueceu do universo e concentrou toda sua energia em seus sofrimentos.

Deus também é todo-poderoso ou onipotente. Ele é auto-existente. Sua natureza é eterna e incriada. Seu poder não tem limites. Faz tudo o que quer segundo o conselho de sua vontade. Todavia, embora seu poder não tenha limites, experimentou uma limitação jamais vivida. Tinha todo poder para salvar seu filho, mas não o fez. Por quê? Qualquer pai com tantas limitações afetivas daria o mundo para salvar seu filho, mas por que Deus não o fez?

O filho se dispôs a morrer pela humanidade. Na cruz ele serviu de justiça para o homem para que ele pudesse ter acesso à vida eterna. Como isso é possível? Por que eles não arquitetaram um plano que exigisse menos sacrifício deles mesmos. Por que sofreram ao limite do inimaginável? Não há explicação científica para isso. O amor é ilógico.

Se você tiver alguém que ama e esse alguém estiver sofrendo, talvez você cometa loucuras de amor para alcançá-lo. Quando analisar a dor de Maria e a preocupação de Jesus com ela, contarei uma experiência na qual uma de minhas filhas correu risco de vida. Eu assisti à cena e vivi o ápice do desespero. Pude entender um pouco o mundo incompreensível do amor...

Há pais que ficam sentados no leito de seu filho por dias e dias quando eles estão internados em um hospital. Não fecham seus olhos quando suas crianças correm risco de vida. O amor é o único sentimento que nos leva a nos esquecermos de nós mesmos e nos doarmos sem medida. A psicologia ainda dormita na compreensão do território da emoção. Tal território nos difere dos computadores e de qualquer máquina que possamos inventar. A matemática da emoção nos faz ser uma espécie única.

Deus tem lágrimas? Não sabemos. Mas certamente chorou muito. O tempo parou e o universo ficou pequeno. Foi a primeira vez na história que um Pai viu um filho morrendo e não pôde fazer nada por ele, embora tivesse todas as condições para isso.

Quem estava sofrendo mais: o filho ou o Pai? Pense nisso! É difícil responder. Não há pior sofrimento para um Pai do que ver seu filho morrer, ainda mais de forma agonizante. E não há dor pior do que morrer numa cruz, principalmente mantendo a lucidez e expressando ternura. Ambos estavam se contorcendo de amor e dor.

Nunca a espécie humana foi amada coletivamente de maneira tão intensa. Se os palestinos e judeus fossem apaixonados desse modo pela espécie humana, do dia para noite as lágrimas de dor cessariam e as da solidariedade irrigariam os solos de Jerusalém.

Poderia haver muitos outros caminhos para o Autor da vida e seu filho resgatarem a humanidade? Tenho limitações para dizer, mas é possível afirmar que, para justificar a humanidade, eles escolheram a mais inexprimível sinfonia do amor.

Nunca o amor atingiu patamares tão sublimes. Nunca cada ser humano foi tão especial, apesar de suas falhas e fracassos.

Quinta: controlando os instintos e abrindo as janelas da mente

O primeiro pensamento verbalizado por Jesus parece ter sido um pensamento que interrompia um diálogo com seu Pai e não algo isolado, solto. Parece que essa frase foi uma interrupção da ação de seu Pai. Permita-me imaginar o complexo cenário que estava ocorrendo nos bastidores da cruz. Peço ao leitor que me desculpe se houver falhas nessa análise, pois me sinto um pequeno pensador diante do infinito.

O Pai via Jesus morrendo, cada gemido calava fundo em sua alma. Ele estava respirando rápido, ofegante e gemendo de dor. Então, de repente, parece que o Pai não mais agüentou. Talvez tenha dito algo assim: "Filho, o que os homens fizeram com você? Eu o amo intensamente e não suporto mais vê-lo sofrer. Os homens chegaram às últimas conseqüências da injustiça ao crucificá-lo.

Nós amamos a humanidade, mas seu cálice é amargo demais. Vou terminar seus sofrimentos. Vou julgar seus carrascos e toda a humanidade".

Então, o filho, se contorcendo de dor e com os olhos embaçados, talvez tenha dito algo mais belo e comovente do que eu consigo dizer: "Pai, você os ama. Não se importe comigo, não os condene. Eu clamo por eles. Esqueça minha dor. Não sofra por mim".

Lembre-se de que ele cuidou de Judas, de Pedro e da multidão que batia no peito enquanto caminhava em direção ao Calvário. Agora, o mais dócil dos filhos cuida de seu Pai.

As gotas de sangue vertiam do seu corpo e ficava cada vez mais difícil respirar. Não havia posição confortável. Se procurasse inclinar seu peito e seu corpo para relaxar, não conseguia ter forças para expandir seus pulmões e respirar. Se procurasse recostar-se na cruz para respirar, tinha de fazer um grande esforço para um corpo debilitado, além de ser punido com o aumento da dor. Sua face contraía-se constantemente refletindo que era impossível preservar a serenidade.

O Pai, vendo a agonia do filho intensificar-se, resolve intervir definitivamente. Quando o filho percebe a intenção do Pai de condenar os homens, entra em desespero. Ele acomoda suas costas no leito da cruz, enche os pulmões e verbaliza seu pensamento para abrandar a dor de seu Pai e defender a humanidade. Proclama: "Pai, perdoa-os porque eles não sabem o que fazem". Perdoar está no imperativo. Reflete o seu clamor diante da ação iminente do Pai julgando seus inimigos e a humanidade emocionalmente falida.

Em seguida, Jesus recolhe-se dentro de si e talvez pranteando tenha dito silenciosamente só para o seu Pai ouvir: "Toma-me como sacrifício pela humanidade. Eu a amo e morro por ela!".

Implorar o perdão do Pai em favor dos homens foi um pensamento tão saturado de emoção que escapou da mente de Jesus e ganhou sonoridade. Todos nós já produzimos pensamentos que ganharam sonoridade. Queríamos que eles ficassem no palco de nossas mentes, mas eles ganharam o palco do mundo pela carga emocional que tiveram.

O filho interrompeu seu Pai. Assumiu a condição de cordeiro de Deus que redime o mundo de suas injustiças. Era tudo que o Todo-poderoso queria ouvir. O amor do filho limitou a ação de Deus, mas não os fez menores, mas inimaginavelmente maiores. Desse modo, o filho sustentava o Pai e o Pai sustentava o filho. Ambos foram nutridos pelo amor um do outro enquanto eram moídos pelas transgressões humanas.

Só o amor pode fazer com que tenhamos atos inesquecíveis. Você pode ser um brilhante pensador, mas se não tiver amor, seus atos serão como o bronze que retine, mas sem vida. O amor tudo sofre, tudo espera, jamais desiste, pois dá todas as chances para começar tudo de novo.[55]

A organização de idéias e a estrutura emocional que Jesus apresentou no ápice da dor fogem aos limites da compreensão da psicologia. Houve grandes mentes nessa terra, tais como Sócrates, Platão, Spencer, Kant, Hegel, Galileu, Einstein, mas ninguém reagiu como Jesus Cristo.

Depois que ele transitou nesta curta existência, a vida ganhou um novo significado, a existência conquistou um novo sentido. Até os sofrimentos ganharam uma nova pintura no complexo quadro da vida.

Sexta: as lições de complacência com homens intolerantes

O mestre da vida cursou a mais excelente universidade, a

escola da existência, a escola da vida. Viveu um concentrado de experiências que só poderiam ser vividas se condensássemos a história de milhares de homens.

Foi honrado como ninguém e humilhado como poucos. Sua inteligência ultrapassava os limites da dos pensadores, mas sua humildade era mais refinada que a dos moribundos da sua sociedade. Era sólido emocionalmente, mas sabia chorar e confessar a sua angústia. Quando abandonado, não reclamava, pois sabia fazer da solidão um convite para a reflexão.

Ele viveu a glória dos reis e o anonimato dos miseráveis. Somente uma pessoa tão despojada, agradável e altruísta poderia se lembrar daqueles que não tiveram piedade de si mesmo. Que homem é esse que não excluiu ninguém?

As suas energias deveriam estar totalmente concentradas na sua dor e na preservação da sua vida, mas tinha uma habilidade incomum de pensar nos outros e não em si mesmo.

Sétima: olhando além da cortina do sistema social

Jesus desculpou homens indesculpáveis. Por quê? Qual foi o segredo que ele usou para perdoar? Durante anos tenho ouvido meus pacientes com dificuldade de perdoar aqueles que os feriram. Eles tentavam, mas nem sempre conseguiam. Diversas vezes procurei ajudá-los, mas muitos falharam.

Alguns jamais se esquecem das mágoas produzidas pelos seus pais, professores, amigos de infância, vizinhos, colegas de trabalho. Eles carregam cicatrizes profundas em sua memória. Convenci-me de que perdoar não é fácil. Entretanto, quando comecei a estudar detalhadamente a primeira frase de Jesus na cruz, meus olhos se abriram.

O segredo para perdoar é não tentar perdoar, mas

compreender. Não se esforce para perdoar quem o magoou, invista sua energia em compreendê-lo. Se você compreender as suas fragilidades, insegurança, infelicidade, reações inconscientes, você espontaneamente o perdoará. Para perdoar também é necessário que possamos compreender nossas limitações e ter consciência de que estamos sujeitos a muitos erros. É muito mais fácil perdoar, reeditar a imagem inconsciente das pessoas que nos feriram quando saímos do nosso trono.

Quando você compreende os conflitos e a miséria emocional das pessoas que o ofendem e o frustram, tem forças para perdoá-las e procurar o bem estar delas. Embora Jesus estivesse dizendo para Deus perdoar a humanidade, o pior da humanidade estava representado pelos soldados e pelos homens que zombavam dele aos pés de sua cruz. Não havia nenhuma base e nenhum motivo para perdoá-los. Para perdoá-los, ele teve de ir longe demais em seu raciocínio.

Aonde ele foi? Em um território que só alguns ilustres filósofos percorreram, e, ainda assim, poucos. Foi além do horizonte dos comportamentos dos seus inimigos e viu que o sistema social estava entorpecendo a capacidade de pensar e ser verdadeiramente livre para decidir.

Como excelente observador da psicologia e da filosofia, compreendeu que os homens que o julgavam e o crucificavam estavam anestesiados pelo sistema social, religioso e político. Anestesiados por uma droga mais potente do que aquela que queriam lhe dar para amenizar seus sofrimentos.

A droga química encarcera a emoção. A droga do sistema entorpece a alma, produz um cárcere imperceptível. Os atos terroristas e as violências urbanas são provocados quando o sistema social ou uma ideologia aprisiona a alma e contrai o valor da vida.

Não pense que a droga do sistema sociopolítico também não nos entorpece. Quando gastamos horas e horas ouvindo os personagens da TV, mas não gastamos minutos conversando com nossos filhos, estamos entorpecidos pelo sistema. Será que sabemos o que estamos fazendo quando lutamos para dar o mundo para nossos jovens, mas nos esquecemos de dar a nossa história de vida e o nosso tempo a eles?

Quando trabalhamos ansiosamente, só vemos dinheiro em nossa frente e não refletimos sobre a temporalidade da vida, estamos drogados pelo sistema. Num instante estamos vivos e noutro fechamos os olhos. Será que a brevidade da vida não é capaz de nos convidar a marcar um encontro com a sabedoria?

Onde estão as pessoas mais livres do sistema? Nos velórios. Freqüentemente as pessoas que estão num velório procuram refletir sobre suas vidas e corrigir suas rotas existenciais.

Os religiosos que julgaram Jesus acreditavam que estavam prestando culto a Deus. Por outro lado, os soldados que o crucificaram achavam que estavam prestando um serviço ao império romano. Ambos estavam aparentemente tendo atitudes corretas, mas suas atitudes eram controladas inconscientemente pelo sistema. Eles pensavam, mas não eram livres para pensar.

Seja livre para pensar. Procure questionar o fundamento das suas atitudes. Às vezes você acha que está fazendo coisas para agradar a Deus, mas pode estar cometendo atos absurdos, inumanos. Às vezes você acha que está defendendo a moral ou ética social, mas pode estar destruindo pessoas.

Jesus conseguiu, no auge de sua dor, desculpar homens indesculpáveis, pois compreendeu o que muitos pensadores apenas arranharam. Compreendeu o papel do sistema no processo de construção de pensamentos e na confecção das reações humanas. Para ele, os soldados não sabiam o que faziam quando cumpriam a peça condenatória de Pilatos, nem os fariseus quando o ridicularizavam.

Se ele perdoa tais homens, poderá haver limites para sua capacidade de perdoar? Que homem é esse que não dá tréguas ao amor?

Oitava: a arte do perdão como refrigério para a alma.

Chegamos à última implicação da primeira frase de Jesus na cruz. Há outras, mas pararei por aqui. Sua capacidade de perdoar refrigerava a sua alma e o tornava o mais leve dos homens. Quando pediu para seu Pai perdoar seus inimigos, já os havia perdoado primeiro. Ninguém tinha nenhuma dívida com ele.

Ele cancelou todo o ódio por eles. Rasgou a "duplicata" da arrogância, prepotência e orgulho dos homens que o feriram. No que dependesse dele, ninguém teria qualquer dívida com Deus. Nós abandonamos as pessoas, mas ele jamais as abandonava. Todos estão aptos a ser amigos dele.

Freud e Jung eram dois amigos. Jung colaborava com o pai da psicanálise. Freud era uma pessoa muito sociável. Escrevia milhares de cartas aos seus amigos. Poucas pessoas cultivavam amigos como ele. Entretanto, sua paciência e tolerância tinham limites bem definidos. Um dia ele teve problemas com as idéias de Jung. Não as aceitou porque elas não seguiam as avenidas teóricas que ele havia traçado. Então uma belíssima amizade findou-se. A amizade deles não suportou o calor de suas diferenças.[XII]

Excelentes relacionamentos entre amigos, colegas de trabalho e entre casal terminam, às vezes, porque as pessoas não sabem tolerar e superar pequenos defeitos uns dos outros. Quando uma das pessoas da relação é hipersensível, as críticas ou atitudes do parceiro produzem um impacto tão grande que elas não conseguem administrar.

Perdão e compreensão não são atributos dos fracos, mas ingredientes universais para o sucesso das relações interpessoais, seja entre intelectuais ou entre membros de tribos primitivas. Sem a psicologia do perdão, as pessoas que nos decepcionam vão se tornando "monstros" no solo de nosso inconsciente. Se essa imagem "monstruosa" for grande, será capaz de controlar nosso encanto pela vida, desempenho social e intelectual, principalmente se convivermos cotidianamente com ela.

Qual é a maior vingança contra um inimigo[XIII]? Já comentei que é perdoá-lo. Se compreendê-lo, você o perdoa. Se o perdoa, ele morre dentro de você e renasce não mais como inimigo. Caso contrário, ele dormirá com você e roubará seu sono, comerá com você e destruirá seu apetite.

Jesus era uma pessoa flexível. Ele transitava pela vida de maneira descomplicada. Muitos complicam demais sua vida. Se alguém bloqueasse a porta de entrada, não gastava energia com o confronto, ele procurava as janelas. Quanto mais lhe fechavam a porta de entrada, mais ele abria as janelas do fundo. Você procura as janelas ou está sempre optando pelo confronto? Gaste menos energia, é mais fácil abrir as janelas. Comece por abrir as janelas de sua mente.

O mais excelente mestre da emoção morreu sem ter nenhum inimigo. Jesus Cristo morreu sem guardar mágoas de ninguém. Pode-se inferir que nem mesmo tinha cicatrizes inconscientes na sua memória. Ele foi o mais livre dos homens.

Todos meus elogios ao mestre da vida nos livros desta coleção não são exagerados, mas tímidos. Tentei diversas vezes criticar seus comportamentos, mas ele é incriticável. Desafio os demais cientistas a analisá-lo. Contudo, um aviso: esse homem contagia nossa emoção.

Uma incrível história de amor

Há uma passagem na biografia de Jesus que sintetiza a incrível história do amor de Deus pela humanidade. Ela diz: "Porque Deus amou a humanidade de tal maneira que deu seu único filho, para que todo aquele que nele crê não pereça, mas tenha a vida eterna".[56] Vamos deixar de lado a questão religiosa e nos ater ao conteúdo jurídico e psicológico dessa passagem. Ela parece de fácil compreensão, mas reúne complexidade e generosidade.

Quando você tem dinheiro, o banco não o perturba, mas se você está em débito, se torna inesquecível. Toda dívida do homem perante Deus é cancelada num momento. Todos os processos jurídicos são arquivados imediatamente pelo ato de Cristo na cruz. Nossas falhas imensas e contínuas são aniquiladas pelo ato de um homem. Nunca foi tão fácil ter acesso à eternidade.

Pagamos caro um plano de saúde, mas Deus oferece uma vida sem doenças e eterna gratuitamente. Pagamos caro o seguro do carro e um plano de previdência, mas o Autor da vida e seu único filho nos oferecem o melhor plano de previdência, uma vida feliz, inesgotável e pelos séculos dos séculos sem nada a cobrar de cada um de nós, apenas que creiamos. Esse é o melhor negócio do mundo.

Nenhuma perfeição é exigida do homem, apenas compreensão e compaixão, pois a exigência da perfeição recaiu sobre Jesus. Nenhum sacrifício é solicitado, pois o Pai e o filho já se sacrificaram ao máximo pela humanidade. Eles plantaram o trigo, cultivaram-no, colheram as sementes, moeram-nas, assaram o pão e agora nos oferecem, generosamente, sem nenhum esforço. É necessário apenas que tenhamos apetite e abramos a boca.

Eles trabalharam para aniquilar nossos sentimentos de culpa, as cicatrizes em nossas memórias, as zonas de tensão em nosso inconsciente e, além disso, nos imergem numa esfera de prazer inesgotável.

A cruz foi a prova solene do amor de Deus. Claro que, por sermos temporais, vemos a morte e os sofrimentos como coisas monstruosas. Mas Deus deve ver a morte e os sofrimentos apenas como uma gota na perspectiva da eternidade. Apesar disso, nenhum pai teria coragem de ver seu filho agonizar numa cruz. Era mais fácil o Pai tomar a cruz do que ver o filho tomá-la. Ninguém poderá jamais acusar Deus de não amar o homem que criou.

Há dois tipos de Deus. Um Deus que criou o homem e um deus que os homens criaram. O que criou o homem é solidário, ama incondicionalmente, poupa, protege, alivia, inclui, se preocupa. O deus que os homens criaram julga, condena, exclui, ama condicionalmente, preocupa mais com alguns do que com os outros. Não importando a nossa religião é comovente ver o esforço descomunal do Deus bíblico para alcançar o homem. Deu o que tinha de mais precioso para resgatá-lo: seu único filho.

Ainda que soubesse que ele era eterno e que seus sofrimentos teriam fim, era infinitamente mais fácil dar todo dinheiro do mundo, oferecer todas as estrelas do céu, implantar todos os tesouros do conhecimento na memória humana e gastar milhões de anos para ministrar milhões de aulas sobre ética e justiça a cada ser humano.

O amor o fez cometer atos que ultrapassam o limite do imaginável. Do ponto de vista psicológico, é impossível ir mais longe... É ilógico e incompreensível o que Deus e seu filho fizeram pela humanidade. Jamais a capacidade de amar atingiu patamares tão altos. Na realidade, eles esgotaram todas as possibilidades do amor.

CAPÍTULO 7

A 2ª HORA: DEBOCHADO PUBLICAMENTE

Desafiado aos pés da cruz

Para a cúpula judaica, era inconcebível que o Deus que os tirou da terra do Egito, que lhes deu a terra de Canaã e que foi profetizado com eloqüência por inúmeros profetas e louvado por diversos salmistas, estivesse diante deles representado por seu filho. O filho do Altíssimo não poderia estar na pele de um carpinteiro.

Um carpinteiro que constrói objetos de madeira não poderia ser o enviado pelo Arquiteto do universo. Um galileu nascido em um curral e que cresceu em uma cidade desprezível, que não teve o privilégio de ser ensinado aos pés dos escribas e dos fariseus não poderia jamais ser o Cristo, o messias esperado há tantos séculos pelo povo de Israel.

A história e os comportamentos de Jesus perturbavam a mente dos líderes de Israel. Eles olhavam para a sua aparência e para a sua origem e imediatamente o rejeitavam. Embora Isaías no capítulo 53 descrevesse com precisão cirúrgica, nos anos 740-680 a.C., portanto cerca de sete séculos antes da vinda de

Jesus, os detalhes sociais e psicológicos do Cristo, a cúpula judaica sentiu aversão pelos seus comportamentos.

A ditadura do preconceito impediu que eles fossem garimpeiros dos tesouros escondidos no carpinteiro de Nazaré. Diversos fariseus se encantaram com Jesus, mas a maioria o condenou sem avaliá-lo.

Se a cúpula judaica aceitasse Jesus como o Cristo, teria de se aproximar do povo, despojar-se de sua arrogância e fazer tudo o que ele fazia. Tinha de perdoar incondicionalmente, aceitar em suas mesas pessoas vis, tratar das feridas dos leprosos e ser complacente com pessoas socialmente não recomendadas. Tal atitude era inconcebível para os guardiões da moral.

Não respeitando a sua dor

A segunda hora da crucificação foi das 10 às 11 horas da manhã, que era das 4 às 5 horas do dia para o povo judeu. Embora Jesus estivesse perecendo, os soldados romanos e os líderes judeus não lhe davam sossego.

A sua presença dócil e tranqüila incomodava seus inimigos. Gritavam como se estivessem desafiando a pessoa mais forte do mundo. "Salva-te a ti mesmo, se és filho de Deus! E desça da cruz".[57] Os gritos saturados de raiva e sátira golpeavam sua emoção, mas ele se mantinha em silêncio. Não tinha forças e nem desejava reagir.

Alguns mais exaltados comentavam entre si: "Se és rei de Israel, desça da cruz e creremos!" O jovem João ouvia assombrado as agressividades contra seu mestre. Os milagres de Jesus, suas palavras arrebatadoras e sua recusa de falar sobre sua identidade instigavam seus inimigos a provocá-lo.

Nunca provoque um homem ferido, pois ele pode reagir

como animal. Quando estamos ansiosos e angustiados, qualquer barulho se torna uma provocação. Grande parte das violências e dos assassinatos ocorre quando uma pessoa ansiosa se sentiu provocada. No trânsito, homens calmos podem agir com extrema violência quando estão tensos. Alguns chegam a usar armas. A única pessoa que podia ser provocada sem nenhum risco de violência era Jesus.

Ele perturbava a mente dos seus opositores. De fato, era estranho alguém que fez tantos milagres para ajudar os outros recusar-se a fazer algum para favorecer-se. A relação íntima e misteriosa com seu Pai era seu único conforto.

Todos temos alguns conflitos

Lembro-me de uma paciente que ouviu sua mãe comentar que a achou numa lata de lixo. A mãe estava brincando, mas a criança interpretou e registrou de maneira distorcida o seu comportamento. Nunca se esqueça de que o registro da memória não é dado pelas intenções dos outros, mas pela interpretação dos seus comportamentos.

A criança sentiu-se rejeitada e não comentou nada com sua mãe. Começou a pensar que sua mãe fazia um favor em criá-la. Desconfiava de que era filha adotiva, embora os pais adotivos costumem ser muito afetivos, até excessivamente. A palavra ingênua da mãe foi registrada de maneira privilegiada nos arquivos de sua memória. Todas as vezes que ela lhe dava uma bronca, sentia-se rejeitada. Desse modo, criou uma imagem distorcida da sua mãe e do mundo.

Essa imagem distorcida e dilatada fica disponível para ser lida, gerando uma hiperaceleração de pensamentos, que, por sua vez, são registrados de volta na memória expandindo a imagem inconsciente, gerando uma zona de tensão doentia.

Através desse mecanismo, uma barata pode virar um monstro. Uma taquicardia em um elevador pode gerar uma claustrofobia. Uma ofensa pode produzir um inimigo mortal. Uma rejeição social pode produzir um bloqueio mordaz. Todos nós somos afetados por esse processo. É provável que cada um de nós tenha alguns transtornos psíquicos gerados por ele, ainda que não percebamos.

Cuidado com o que você fala com seus filhos e alunos. Cuidado com as palavras. Saiba que determinados gestos e palavras podem penetrar nos territórios do inconsciente e contribuir para tornar a alma humana uma terra seca e árida. Nunca menospreze a capacidade de interpretar de uma criança, nunca menospreze os sentimentos de uma pessoa.

Se você tiver de criticar alguém, não o faça antes de elogiá-lo. Quando você o valoriza, ele abre as janelas de sua memória e, desse modo, pode receber sua ajuda. Mas se o critica secamente, ele trava a sua inteligência. Tudo o que você disser, por mais correto e eloqüente que seja, será uma intromissão. A agressividade e a crítica seca desde os primórdios da humanidade nunca contribuíram para educar a emoção, mas insistimos nesse caminho. Até nos dez mandamentos há nobilíssimos elogios à vida. A síntese de todos eles discorre sobre o amor: amar a Deus e amar ao próximo.

Jesus sabia abrir as janelas da alma e do espírito das pessoas. Sabia até encantar as multidões. Sua capacidade incondicional de amar e elogiar a vida o transformava em uma pessoa feliz e tranqüila. Tinha muitos motivos para reclamar do mundo, pois foi o mais injustiçado dos homens. Tinha todos os motivos para ranger os dentes contra os que zombavam dele na cruz, mas não esperava nada de ninguém, nem dos seus íntimos esperava retorno. Quanto mais as pessoas o torturavam, mais desejava abraçá-las e fazê-las enxergar além da cortina do sistema social.

Nele só havia palavras de elogio à vida. Quando protegia ou defendia alguém, seja um amigo ou um inimigo, um íntimo ou desconhecido, atestava que a vida é bela mesmo quando não há flores nos jardins. O quanto você elogia a vida, determina o quanto sentirá o frio dos seus invernos.

CAPÍTULO 8

A 3ª HORA: CUIDANDO DE UM CRIMINOSO E VIVENDO O MAIOR DOS SONHOS

Na terceira hora, só havia espaço para confusão mental. O mestre já havia sido espancado a noite toda. Não lhe deram água nem comida. Chegou diferente dos outros dois criminosos à cruz. Estava desidratado, exausto, lesado e com graves problemas circulatórios, pois havia perdido muito sangue.

Seu coração tentava mantê-lo vivo e consciente aumentando intensamente sua velocidade. Tal esforço objetivava perfundir o cérebro com nutrientes, caso contrário, desmaiaria e renunciaria à compreensão dos eventos.

Era de se esperar que sua capacidade de raciocínio estivesse mutilada. Enquanto seu corpo lutava para mantê-lo vivo, ele iluminava a sua mente e produzia palavras e gestos inacreditáveis.

Na segunda hora, como vimos, foi zombado e provocado por seus opositores. Sua resposta foi o silêncio! Agora, na terceira hora, quando eles lhe deram tréguas, verbalizou três tipos de pensamentos admiráveis. Tais pensamentos expressaram um cuidado afetivo com um criminoso, com sua mãe e com seu amado discípulo João.

O criminoso se volta para o mestre

Imagine a cena. Muitos fariseus, que eram versados no Velho Testamento, desafiaram Jesus enquanto ele era flagelado na cruz. Para eles, Jesus não passava de um impostor, pois não reagia às provocações.

Enquanto todos zombavam dele, um criminoso de súbito fez um reconhecimento inimaginável. Ao se encontrarem no Calvário, esse criminoso viu Jesus sangrando por toda a cabeça. Ao lhe tirarem a roupa, viu suas costas mutiladas e seu corpo coberto de hematomas. Sobre sua cabeça, uma coroa de espinhos. Jesus não dava sinais de ser homem forte, mas um homem fraco e debilitado, portanto, era quase impossível não considerá-lo um miserável.

Contudo, para a nossa surpresa, o criminoso viu algo além dos hematomas e da sua fragilidade. Enxergou que o homem que estava morrendo ao seu lado não era um homem comum, mas um rei. Um rei com um poder que ultrapassava os limites da compreensão humana. Um rei que possuía um reino invisível, mas real.

O criminoso implorou a Jesus que se lembrasse dele quando estivesse em seu reino.[58] Ele conseguiu ver algo que ninguém via.

Pedro achava que seu mestre era fortíssimo, cortou a orelha de um soldado diante de uma escolta, mas quando o viu espancado, negou-o diante de uma serva. Se estivéssemos lá, provavelmente nos comportaríamos como ele.

Na cruz, Jesus era digno de dó, mas um criminoso o tratou como um rei. Um rei que venceria a morte, que introduziria seu reino na humanidade. Um rei que era miserável naquele momento, mas que um dia, quando as portas do tempo se encerrarem, mostrará sua força e seu vigor. Ao longo da história, muitos homens amaram a Jesus Cristo porque conseguiram ver o que ninguém via. Viram as flores no inverno. Viram os campos branquejando em um ambiente de pedras e areia.

Bastou uma palavra do criminoso em direção ao mestre da vida para que ele o alcançasse. O criminoso não precisou se humilhar e confessar seus erros, apenas reconheceu que aquele que morria ao seu lado era um rei.

A reação de Jesus foi de acolhê-lo sem pedir nada em troca. Essa sempre foi sua atitude em sua trajetória. Toda vez que uma pessoa se voltava para ele, ainda que fosse uma prostituta, a acolhia sem constrangê-la. Não queria saber detalhes de sua história, não especulava sobre suas falhas, não a controlava, mas procurava confortá-la e imergi-la em uma esfera de prazer e liberdade.[59]

Amamos controlar as pessoas, mas o mestre da vida amava fazê-las livres. Muitos pais querem dar a melhor educação para seus filhos, mas, ao invés de ajudá-los a ser livres para pensar e decidir com maturidade seus caminhos, dão-lhes regras rígidas para que possam controlá-los. Tais regras, além de não funcionar, causam revoltas e intrigas.

Desse modo, os jovens ficam despreparados para viver na escola da vida. Assim, facilmente usam drogas ou adquirem conflitos emocionais diante das turbulências existenciais. Por outro lado, diversos filhos usam drogas e têm conflitos, ainda que seus pais sejam excelentes educadores.

Igualmente, muitos executivos querem que o mundo gravite em torno de si. Controlam tudo na empresa, pessoas e atividades. Contudo, por não conhecerem o funcionamento da mente humana, não sabem que a construção de pensamentos é incontrolável. A melhor direção que podemos dar é fazer com que as pessoas gerenciem seus pensamentos, treiná-las a pensar antes de reagir, observando as conseqüências de seus comportamentos.

Nem Hitler controlou os judeus nos campos de concentração. Ele foi desumano com esse belo povo. Controlou a ração e os passos dos judeus, impingiu a fome e a miséria, mas não controlou suas idéias, seus pensamentos. Não controlou seu sonho de liberdade.

Ninguém controla os pensamentos de ninguém. Qualquer um que concentra poder nunca terá poder sobre a mente dos outros, ainda que elas abaixem suas cabeças. A alma é um território de liberdade. O único carrasco de nossas almas somos nós mesmos.

Jesus conhecia a mente humana como ninguém. Tinha consciência de que o povo de Israel, embora tivesse as leis de Moisés e elevadas regras de conduta, estava saturado de injustiças, discriminação, intolerância e múltiplas formas de agressividade. Como solucionar o que a lei não foi suficiente para fazer? Atuando no funcionamento da mente, nas matrizes da memória, no cerne da energia emocional. Foi isso que ele fez.

No mundo todo o problema da violência aflora. Os secretários de justiça das sociedades democráticas não sabem o que fazer para solucionar o drama da violência escolar, social, familiar. Prisões, batalhão de policiais, medidas de tolerância zero, fiscalização e leis não resolvem definitivamente o problema, quando muito, o amenizam. A educação e a transformação interna do homem é a chave.

O mestre da vida sabia que se não transformasse o homem internamente, não haveria solução. Como disse, ele colocou seus discípulos na escola da vida e fez diversos laboratórios de imersão, como da educação da emoção, da superação, da auto-estima, de psicologia preventiva, do treinamento do caráter. Tais laboratórios não foram feitos após a sua morte, mas enquanto andava e respirava com eles. Em cada uma das suas parábolas e em cada circunstância que vivia conduzia seus discípulos para dentro da prática das funções mais importantes da inteligência. Cada uma dessas práticas era um treinamento da escola da vida.

Entre esses laboratórios estava o do respeito incondicional pelo homem. Por isso não pressionava ninguém a segui-lo. Queria o coração e não o serviço. Quando alguém se dispunha a segui-lo, não cobrava nada, apenas que aprendesse a amar. Almejava conquistar a alma e o espírito humanos.

Sabia que o amor era a fonte da motivação. Tinha convicção de que esse sentimento era uma fonte excelente de mudanças das matrizes da memória e de transformação interior. O mestre da vida era um rei sem trono político, era um rei que tinha aprendido a reinar na alma humana.

Nós somos perseguidos pelo nosso passado. Punimos os erros dos outros e nos remoemos com sentimento de culpa. Mas o mestre não gravitava em torno do passado. Para ele, as falhas deveriam ser recordadas o tempo suficiente para ser reescritas. Por tais atitudes, todos viviam suavemente em sua presença. O passado deixava de ser um peso e se tornava a tela de fundo de uma belíssima obra de arte.

Quem ama respeita o espetáculo da vida. Quem ama abre as janelas de sua mente para pensar em muitas possibilidades. O amor torna as pessoas inteligentes e arrojadas. Os cientistas que amaram suas pesquisas fizeram as mais excelentes descobertas. Os professores que amaram seus alunos penetraram no território da emoção deles e os marcaram para sempre.

Se você trabalhar apenas pensando no holerite no final do mês, nunca será um excelente funcionário. Um bom funcionário faz tudo que lhe pedem, um excelente funcionário faz além do que lhe pedem. Por quê? Porque tem compromisso com sua empresa.

Jesus não pediu para ninguém chorar aos pés da sua cruz. Não pediu a Pedro que pranteasse, quando o negou, ou que os discípulos refletissem sobre sua fragilidade, quando o abandonaram. Por que tiveram uma reação com alto volume emocional? Por causa dos vínculos afetivos, das raízes insondáveis do amor.

O mestre exalava amor em seus gestos, por isso contagiou um miserável criminoso que morria ao seu lado.

A 2ª. frase: "Ainda hoje estarás comigo no paraíso...". Consolando o criminoso

Jesus disse ao criminoso que estaria com ele no paraíso ainda naquele dia. Ele não ficou três dias na morte. Como ele pôde dizer: "Ainda hoje estarás comigo no paraíso"[60] se, de acordo com as Escrituras, ele ficou três dias na morte: a tarde da sexta-feira, o sábado e a manhã do domingo? Isso indica que ele estava discursando sobre uma outra esfera.

Milhões de pessoas têm opiniões sobre esse assunto de acordo com sua crença. Como pesquisador científico, não vou me aprofundar nele, pois tudo isso diz respeito à fé. É possível que receba muitos e-mails de leitores dando suas opiniões. Apenas vou fazer um comentário sintético dentro das possibilidades das suas biografias.

É provável que, quando Jesus menciona "ainda hoje" estarás comigo no "paraíso", esteja querendo se referir a uma esfera em que a personalidade é preservada depois do caos da morte. Ele indicou o que a ciência nem sonha em entender, ou seja, que a falência do corpo não acompanha a falência da alma ou psique.

Olhamos a vida com os olhos de nossa história contida na memória. Cada opinião emitida, cada resposta dada, cada pensamento proferido são gerados a partir da leitura da memória. Ela guarda os segredos de nossa existência. Sem a memória não há história, sem história não há inteligência.

Quando o cérebro morre, a memória se decompõe, os segredos da existência se perdem, a história se esfacela. Como resgatar esses segredos? Como reconstituir a personalidade? Todos querem saber o que acontecerá consigo quando o fenômeno da morte os abater. Todos querem saber se há vida e consciência após a morte. Contudo, não procure as respostas nos livros científicos, pois a ciência é uma frágil menina nessas questões.

Depois que comecei a produzir uma nova teoria psicológica e filosófica sobre o funcionamento da mente, comecei a me preocupar com questões que não me perturbavam. Comecei a pensar sobre o fim da vida e a desagregação da história existencial contida na memória.

Os filósofos costumam ser mais profundos que os pensadores da psicologia, psiquiatria e neurociência. Eles são mais livres para pensar. Discutem a metafísica sem problemas, refletem sobre Deus sem medo de ser taxados. Sócrates, Platão, Agostinho, Spinosa, Descartes, Rosseau, Voltaire e Hegel estão entre os pensadores da filosofia que tiveram Deus na pauta de suas idéias. Diversos perceberam que o homem precisa de

Deus, pois o fenômeno da morte destrói os segredos da memória e só havendo um Deus poderíamos ter a possibilidade de reconstruir nossas identidades.

A nossa espécie sempre procurou por Deus. Das tribos mais primitivas aos povos mais cultos, a procura por Deus ocupa as avenidas centrais do pensamento humano. Até a idéia do ateísmo é uma idéia relacionada a Deus. Não é possível para essa espécie intrigante que somos existir sem questionar suas origens e o seu destino.

Nenhum ser humano passa pela vida sem negar ou afirmar a existência de Deus. Ou ele o nega ou ele o procura, ninguém passa incólume. O espetáculo da construção dos pensamentos nos perturba. Não conseguimos olhar para nós mesmos nem para o mundo sem nos fazermos as milenares perguntas: Quem somos? De onde viemos? Para onde vamos?.

Podemos definir filosoficamente a espécie humana em uma frase: "O homem é uma fonte de perguntas que durante toda a sua existência procura grandes respostas...".

Um miserável que não desistiu da vida

Jesus deu uma grande resposta ao criminoso. Ambos estavam morrendo, mas ambos se encontrariam após o caos da morte. Ambos estavam gemendo de dor, mas ambos estariam, segundo ele, no paraíso, um lugar sem sofrimentos, adversidades e infortúnios.

O mestre da vida conseguiu refrigerar a alma de um miserável homem que se atormentava sobre qual seria o seu destino. Com uma simples frase, resgatou o ânimo de quem sucumbia sob o calor das suas dúvidas. Quantas dúvidas atormentam os que pensam sobre o fim da vida...

Alegro-me com esse criminoso. Poderia desejar morrer, mas sonhava em continuar sua existência. Muitos, ao contrário, pensam em suicídio diante dos seus problemas. Não suportam a carga de suas perdas. Não suportam seus fracassos e nem as injustiças sociais cometidas contra eles. São controlados pela dor, sufocados pela tristeza e ansiedade.

Nunca desista da vida. Enfrente a sua dor e você a transcenderá, dê as costas a ela e ela o destruirá. Na cruz vemos um miserável criminoso que não desistiu da vida. Os homens estavam extraindo o seu sangue e espremendo a sua alma, mas ele não queria morrer, não abria mão de sua vida.

Tinha todos os motivos do mundo para querer nunca mais ter um minuto de vida. Mas é estranho e belo. Via um jardim florido e Jesus como um jardineiro, embora estivesse no mais causticante inverno. Falava para Jesus se lembrar dele em seu reino e Jesus falava para ele de um paraíso. Ambos estavam morrendo lenta e miseravelmente, mas ambos não paravam de sonhar. Sonhar com o quê? Com o maior de todos os sonhos: com a continuação do espetáculo da vida. Que exemplo!

Algumas pessoas têm todos os motivos para ser alegres, mas são insatisfeitas e especialistas em reclamar. Contudo, há dois mil anos, duas pessoas morriam numa cruz, mas a dor e a exaustão não foram suficientes para matar o amor deles pela existência...

CAPÍTULO 9

CONTINUAÇÃODA 3ª HORA: CUIDANDO CARINHOSAMENTE DE SUA MÃE

Maria, uma mãe especial

Alguns filhos se esquecem dos seus pais quando têm sucesso na vida. Lembram-se deles quando estão no anonimato, mas quando enriquecem ou se tornam famosos esfriam esse relacionamento. Às vezes, suprem-lhes de bens materiais, mas negam-lhes o mais importante, a sua presença.

Gastam pouco tempo dando-lhes atenção e dialogando com eles, embora sabendo que quanto mais idosos ficam, mais necessitam de carinho. Alguns deles usam a correria do dia-a-dia e o excesso de atividades como excelentes desculpas para justificar a sua ausência.

Nossos pais, por mais defeitos que tenham, geraram a vida. Perderam noites de sono e gastaram o melhor de sua energia e do seu tempo para cuidar de cada um de nós. Infelizmente, somente quando perdemos um deles nos perguntamos: "Por que não gastei mais tempo com eles? Por que não deixei certos compromissos e dei mais valor a eles?" Poucos não fazem uma revisão de sua história quando seus pais se silenciam .

É muito importante perscrutarmos os sentimentos mais ocultos de nossos pais e compreendermos suas inquietações. Adentrar no universo daqueles que nos geraram é mais do que uma obrigação, é um direito. Um direito que poucos exercem. Os melhores filhos são aqueles que gastam tempo para descobri-los. É estranho o fato de muitos filhos não conhecerem a alma de seus pais, não penetrarem no mundo de suas emoções, não conseguirem perguntar a eles o que estão sentindo e do que necessitam. Conhecem a fachada, mas não sabem o que está por detrás dos seus olhos e dos seus gestos: suas lágrimas, seus sonhos, seus temores.

Do mesmo modo, muitos pais não conseguem perceber que há um mundo a ser descoberto dentro de cada um de seus filhos, mesmo que eles os frustrem e tenham diversos defeitos. Pais e filhos precisam ser garimpeiros da alma. Precisam aprender a explorar um ao outro para descobrir as pedras preciosas que estão escondidas dentro deles.

Cristo era o mestre do diálogo. Dialogava longamente com Deus. Com seus discípulos rompia todas as barreiras e todas as distâncias. Com as mulheres, mesmo com as que eram socialmente rechaçadas, como a mulher samaritana, era atencioso, polido e generoso. Ele se dizia imortal, mas amava ser amigo dos mortais.

E com seus pais terrenos, Jesus era atencioso? Muito! Temos poucos relatos sobre sua infância e adolescência, mas o pouco que temos nos confirmam que era um filho inigualável. O pouco que Lucas registra sobre sua infância revela o quanto ele era submisso e gentil com seus pais.

Maria sabia quem era aquele menino que cresceu aos seus pés. Ela o conhecia mais do que seus discípulos. Raramente ela bloqueava a sua passagem como toda mãe faz quando se preocupa com seus filhos. Ela sabia que antes de ser seu filho, ele era filho de Deus. Antes de lhe pertencer, ele pertencia ao seu Pai. Sabia que o menino que ela tinha amamentado era muito carinhoso, afetivo e especial, tão especial que um dia o perderia.

Lucas, ao que parece, teve um relacionamento estreito com Maria. Escreveu seu evangelho depois de mais de vinte anos da partida de Jesus. Muitas informações que escreveu foram extraídas de viva voz de Maria, pois é o único que nos fornece detalhes do nascimento de Jesus e da complexa oração de sua mãe.

Um dia, talvez, escreva um livro analisando a personalidade de Maria. É provável que muitos dos que falam dela não conheçam a encantadora Maria das biografias de Cristo. Ela tinha pelo menos cinco grandes características apontadas nos evangelhos.

Primeira, era inteligente. Na oração registrada por Lucas, há uma complexa organização de raciocínio e seqüência de idéias. Segunda, era humilde. Ela se colocava literalmente como uma humilde serva diante de Deus. Terceira, conhecia bem as Escrituras antigas. Sua oração é uma síntese do Velho Testamento.[61] Nela, discorre sobre a origem do povo de Israel, sobre Abraão e sua descendência, sobre a promessa de Deus, sobre a exaltação dos humildes, a destruição dos soberbos. Quarta, era discreta. O fato de não aparecer muito nas biografias de Cristo é um exemplo de sua discrição. Quinta, respeitava seu filho e guardava suas palavras em silêncio.[62]

Sobre essa última característica há uma história interessante. Certa vez, Maria e José estavam em trânsito e perderam o menino Jesus na multidão. Procuraram-no, desesperadamente. Depois de alguns dias, o encontraram. O menino, então com doze anos, foi encontrado no templo debatendo suas idéias com os mestres da lei. Eles estavam perplexos com sua inteligência e suas respostas.

Logo que seus pais o viram, ficaram também admirados. Sua mãe se adiantou e sem agressividade mostrou sua angústia, dizendo-lhe: "Filho, por que fizeste assim conosco? Teu pai e eu, aflitos, estamos à tua procura".[63]

Uma das experiências mais angustiantes para os pais é perder seus pequenos filhos num shopping center. Maria e José não o perderam por alguns minutos, mas por dias. O caso foi grave. Além disso, não podemos nos esquecer de que os judeus, tal como os árabes, são amorosos, mas têm ânimos exaltados. Freqüentemente se irritam quando se frustram. Por que um fato tão grave foi tratado com brandura por Maria? Por que ela expôs gentilmente a aflição a seu filho? A única explicação é que ambos eram dóceis um com o outro. Havia um clima de carinho, atenção, amor, preocupação mútua que permeava a relação de Jesus com seus pais.

Até seus trinta anos, Jesus deve ter tido uma longa e afetiva história de diálogo com sua mãe. Ela ajudou a educá-lo. O menino a assombrava com sua mansidão e capacidade de se doar. Agora ele cresceu e começou a cuidar do mundo à sua volta. Doava-se a todos. Nos últimos três anos, andava ocupado, mas sua mãe o acompanhava em muitas viagens.

Maria sabia que seu filho era um médico da alma que encontrara uma humanidade ferida. Parecia que ele não tinha tempo nem para si mesmo nem para sua mãe. Para si mesmo, com certeza, mas para sua mãe... Estudaremos que ele nunca se esqueceu dela. Na cruz, embora estivesse sem energia, procurou cuidar dela e protegê-la.

Jesus estava morrendo e via que sua mãe estava assistindo a tudo. Que cena comovente! Mãe e filho, que sempre se amaram, estão tão próximos e tão distantes um do outro. Talvez Maria se lembrasse do filho que ela carregou no colo e que agora estava perdendo. Que sentimentos poderiam invadir essa serena e sensível mulher?

Nada melhor para compreendermos a dor dos outros do que compreendermos a nossa própria dor. Permita-me contar uma dramática experiência pela qual passei com uma das minhas filhas e que mudou minha história.

A experiência de um pai em desespero

Um dia estava assistindo a uma cirurgia de minha filha mais velha. Era uma extração das amídalas. Por ter formação médica, sabia que era uma cirurgia aparentemente simples. Nem desconfiava de que passaria por um dos maiores sofrimentos de minha vida. Tudo corria normal no campo cirúrgico: a anestesia, as primeiras incisões e a regularidade do balão respiratório.

Conversava com o cirurgião e com o anestesista com espontaneidade e descontração. Então, de repente, percebi que o balão tinha diminuído o ritmo. Minha filha parou de respirar. Entrei em desespero. Em fração de segundos passou pela minha mente que poderia perdê-la. Eu a amava intensamente, beijava-a várias vezes por dia. Perdê-la naquele momento era simplesmente um fato inaceitável.

Meu coração acelerou-se intensamente. Uma taquicardia incontrolável. Não era possível acreditar que não mais veria seu sorriso, suas brincadeiras e suas artes. Então, gritei o anestesista, que por alguns segundos tinha saído da sala. Rapidamente ele veio.

Cada segundo parecia uma eternidade. Eu queria fazer alguma coisa, mas não entendia de anestesia. Daria tudo no mundo para ver minha filha voltar a respirar. Por fim, com os procedimentos médicos tomados, felizmente, minha filha retornou. Parecia que eu tinha estado em uma guerra.

A cirurgia terminou e o grande susto passou. Achava que o pesadelo havia terminado, mas o pior estava por vir. O pós-operatório de uma criança que se submete a uma cirurgia desse tipo é de rápida recuperação. Em alguns dias, ela ficaria animada e voltaria a ser o que era. Porém, a cada dia, minha filha piorava. Eu ia para o meu consultório intranqüilo, sabia que algo estava errado. Um cheiro fétido exalava de suas narinas. Ela só conseguia respirar pela boca.

Telefonava para seu médico com freqüência e ele me dizia que isso era normal. Pedia para limpar suas narinas borrifando soro fisiológico, pois poderia ser sangue e secreção alojados. Entretanto, minha filha a cada dia ficava mais pálida, desanimada e não conseguia brincar. Entramos com antibióticos e antiinflamatórios, mas nada resolvia. No quinto dia pós-cirúrgico, liguei para casa para falar com ela e ela quase não tinha forças para falar comigo.

Naquele momento, pensei em algo que nunca mais saiu da minha mente. Pensei no valor da vida, no quanto ela é preciosa e no pouco valor que damos a ela. Somente quando ela se esgota, somos convocados a fazer essa reflexão. Pensei comigo mesmo: "Eu daria tudo o que tenho, tudo o que consegui na vida, para ter a minha filha de volta como antes. Daria meus títulos acadêmicos, todo meu dinheiro, sucesso, casa, enfim, tudo, em troca de sua vida".

Angustiado, liguei mais uma vez para seu médico e disse-lhe que o pós-operatório de minha filha não era normal. Havia algo errado. Então, ele teve um estalo e me pediu para levá-la urgente ao consultório. Perguntei por que e ele me disse que provavelmente havia esquecido uma gaze em sua garganta. "Talvez, na correria da parada respiratória, tenha me descuidado e esquecido esse material".

Chegando ao consultório, sua suspeita se confirmou. Ele retirou uma gaze podre, malcheirosa. Minha filha sobreviveu, mas aqueles momentos me marcaram para sempre. Os sofrimentos ou a perda dos filhos são inesquecíveis para os pais. A dor deles sulca a nossa alma.

Vamos analisar o território da emoção de Maria aos pés da cruz de seu filho.

A 3ª. frase: "Mulher, eis aí teu filho..." Consolando sua mãe

Maria estava próxima da cruz. Ela se contorcia de dor ao vê-lo morrer minuto após minuto. Seus olhos encharcavam-se de lágrimas. Que sofrimento inconsolável! Quem poderia trazer refrigério para aquela mulher? Nada no mundo aquietava a sua alma. O filho que ela carregou nos braços, agora estava nos braços de uma cruz...

Imagine Jesus vendo a dor de sua mãe. Já era amargo seu cálice físico, vê-la sofrer expandia seu cálice emocional. Maria sabia que o perderia, mas pensava que esse dia estava longe. Ela não sabia que seu filho iria morrer naquele dia, pois seu julgamento, como disse, foi repentino. Isso indica que ela o acompanhava com discrição em suas viagens. De repente, quando menos esperava, ele sai mutilado da casa de Pilatos.

Na caminhada até o Calvário, ela entrava em desespero. Queria abraçá-lo, mas era contida. Os soldados deviam empurrá-la sem piedade. Havia uma coorte deles escoltando Jesus, mais de trezentos. Maria caminhava chorando. Nunca imaginara que o perderia dessa maneira. Faltava-lhe força física para gritar.

Para ter um filho que amava tanto o mundo, ela devia ser saturada de amor. Maria o amava intensamente. Sabia que o menino Jesus tinha sido o mais dócil dos filhos. Criá-lo era como plantar flores num jardim, só lhe trouxera alegrias. Passou longos e agradáveis anos na sua presença.

Quantas vezes Maria carregou o pequeno bebê nos braços, o acarinhou e fez sua higiene? Ela viu seu corpo nu quando pequeno, agora o vê nu na cruz como um espetáculo de desonra para o mundo.

Queria tirá-lo de lá. Desejava cuidar de suas feridas e estancar seu sangue. Devia gritar para ele ouvir: "Filho, eu te amo!". Devia também correr em sua direção, mas era barrada sem piedade pelos soldados. Por isso, devia ainda clamar: "Me soltem! O que vocês fizeram com meu filho! Deixem-me abraçá-lo e cuidar dele!".

Palavra nenhuma poderia aquietar a angústia daquela afável e humilde mulher. O filho que só lhe trouxera prazer estava trêmulo na cruz. Não suportava vê-lo contraindo sua face de dor e desesperava-se diante de sua respiração ofegante. Ela não podia fazer nada, mas queria fazer tudo.

Jesus sabia da dor de sua mãe. Seu coração claudicava, mas ele se mantinha lúcido. Então, olhou para ela e a viu chorando e profundamente angustiada. Não queria que ela sofresse. Mas era impossível aliviá-la. Diante disso, mais uma vez, reagiu de forma surpreendente. Ele se recosta novamente na cruz para respirar melhor. Sua dor se intensifica com essa manobra e solta sua voz, dizendo: "Mulher, eis aí o teu filho".[64]

Suas mãos estavam pregadas na cruz. Não podia apontar para ela. Indicou com os olhos. Quem? João, o jovem discípulo João, que era seu primo.

Jesus era um filho insubstituível, mas pediu para que ela tomasse João como filho em seu lugar. Pediu para sua mãe se consolar com a presença dele. Ele iria embora, mas deixaria em seu lugar o jovem que mais aprendeu com ele a arte de amar.

Muitos, inclusive teólogos, se perguntam por que Jesus chamou Maria de "mulher" e não de "mãe". Jesus falava muito dizendo pouco. Era sintético quando estava livre e na cruz foi mais sintético ainda, até porque estava tão debilitado que não conseguia respirar e pressionar as cordas vocais para falar.

Chamou sua mãe de "mulher"por duas vezes nos evangelhos. Uma em Caná da Galiléia, no começo da sua aparição pública e outra aqui, quando crucificado.[65] Vou comentar apenas essa última, uma vez que, se a entendermos, poderemos ser iluminados sobre a primeira.

Alguns podem achar que chamar sua mãe de "mulher" pareça uma forma seca de tratamento. Todavia, havia uma doçura e amabilidade ímpar por detrás das palavras de Jesus. Ele sabia que Maria se envolvera intensamente com ele. Sabia que por cuidar dele, ela o amou tanto que se esquecia de que, antes de ser filho dela, ele era filho do Altíssimo. Ao dizer "mulher" queria refrescar sua memória e lembrar-lhe de sua origem.

Ele parecia querer dizer a ela: "Mãe, eu a amo, mas você sabe quem eu sou. Você sabia que iria me perder. Sei que você está sofrendo intensamente, mas se posicione agora não como minha mãe, mas como uma "mulher". Lembre-se de que você foi bendita entre as mulheres, pois foi escolhida pelo meu Pai para me receber, cuidar de mim e me ensinar os primeiros passos do que é ser um homem. Seja uma mulher forte. Não sofra por mim. Eis aí João. Tome-o como seu filho. Ele cuidará de você e a protegerá em meu lugar".

Jesus se esqueceu de si mesmo para se preocupar com sua mãe. Gastou o pouco de energia que tinha para consolá-la. Ela, por sua vez, entendeu a linguagem codificada das suas palavras. Embora, naquele momento, nada pudesse estancar a sua dor. Continuava chorando sem parar. Queria acarinhá-lo como sempre tinha feito em sua infância, mas não conseguia alcançá-lo...

A dor de Jesus produziu valas profundas em sua alma. Somente mais tarde seu coração aliviou-se. A perda desse filho foi irreparável... Assim terminou a mais bela história de amor entre um filho inigualável e uma mãe especial.

A 4ª. frase: "Eis aí sua mãe..". Consolando João

Logo que Jesus se dirigiu para sua mãe e apontou a João com os olhos, ele se dirigiu ao discípulo e lhe disse: "Eis aí tua mãe".[66] Dois motivos estavam contidos nesta quarta frase.

Primeiro, ele via as lágrimas e os sussurros de João e também queria consolá-lo. João era um jovem explosivo, mas seguindo as pegadas do mestre do amor, aprendeu as mais belas lições da educação da emoção. Aprendeu o alfabeto do amor. Amou tanto que quando estava com mais de oitenta anos escreveu três cartas de amor para os seus leitores. Essas cartas, juntamente com seu evangelho, destilam emoção nas letras.

Ele chama a todos de filhinhos. Na sua terceira epístola, que aparentemente não tem nada de espiritual, revela a intensidade com que amou cada ser humano. João termina essa carta dizendo: "Saúda aos amigos, nome por nome".[67] Saudava a todos pelo nome, pois os considerava pessoas únicas.

Você considera as pessoas com as quais convive e trabalha como seres únicos, ímpares? Se os considera, você não apenas deve cumprimentá-los, mas saudá-los nome por nome. João valorizava cada ser humano como um ser inigualável porque tinha aprendido a arte de amar.

Agora, ele está vendo seu mestre agonizar na cruz. Perdê-lo era como se perdesse seu solo, seu sentido de vida. Jesus também amava intensamente João, por isso não se esqueceu dele na cruz. De um só fôlego tentou consolá-lo e pedir que tomasse conta de Maria como se ela fosse sua própria mãe. Pediu muito em poucas palavras. Pediu e foi atendido. Daquele dia em diante, ele a levou para casa e cuidou dela.

Foi a primeira vez que numa cruz poucas palavras disseram tanto. Foi a primeira vez que, entre gemidos e dores, uma história de amor foi escrita, a mais bela de todas. Foi a primeira vez que o coração emocional amou tão ardentemente enquanto o coração físico estava falido.

CAPÍTULO 10

4ª A 6ª HORA: ABANDONADO POR DEUS

Julgado pelo Juiz do Universo

A crucificação de Jesus pode ser dividida em duas partes de três horas. A primeira foi das nove da manhã até ao meio-dia e a segunda do meio-dia até às três da tarde. Na primeira parte, como vimos, ele produziu quatro frases acolhendo quatro tipos de pessoas: seu Pai (Deus), um criminoso, sua mãe e João. Produziu também quatro frases nessa segunda parte. Não há uma indicação precisa de horário de quando elas foram proferidas, mas de acordo com o registro das biografias de Mateus e Marcos, essas frases foram verbalizadas no final da crucificação.

Na primeira parte, o sol brilhava; na segunda, houve trevas. Ao meio-dia de nosso relógio, que correspondia às seis horas do horário judeu, um fenômeno estranho ocorreu: a terra escureceu. Escureceu, talvez por um eclipse, um tempo chuvoso ou um fenômeno que foge à nossa compreensão.Provavelmente, as trevas eram um símbolo de que Jesus estava sendo julgado pelo Juiz do universo em favor da humanidade. Seu Pai assume a forma de Deus e se torna o Juiz do homem Jesus. A investigação psicológica desse assunto é capaz de nos deixar confusos. Na primeira parte, seu Pai o sustentava com suas palavras inaudíveis, com sua emoção intangível, com seus olhares invisíveis. Agora, esse Pai, apesar de amá-lo intensamente, senta-se no trono de juiz.

De acordo com os textos bíblicos, nunca ninguém havia passado no teste de Deus. Todos falharam e careciam da glória de Deus.[68] Por que ninguém passou nesse teste? Até onde conseguimos analisar e compreender, é porque seu julgamento traspassa os comportamentos exteriores e penetra nas raízes da consciência.

Ele perscruta as intenções e penetra nos pensamentos humanos. Ninguém é perfeito, não há um ser humano que seja senhor pleno de suas emoções e de seus pensamentos. Podemos ser plenamente éticos por fora, mas quem o é por dentro?

Quem tem coragem de fazer uma conferência sobre todos os pensamentos que produz? Quem tem coragem de chamar seus amigos e parentes para falar sobre todas as idéias que transitam no palco de sua mente? Creio que nenhum de nós. O mais puritano dos homens produz pensamentos absurdos que não tem coragem de verbalizar.

A psicologia tem muitos limites na compreensão do homem, pois só consegue interpretar seus comportamentos. Através deles, ela procura compreender o que os olhos não contemplam: as emoções, os fenômenos inconscientes, a engrenagem dinâmica dos conflitos, a estrutura do eu.

O mais excelente psicólogo nunca adentra no mundo dos seus pacientes. Nunca pode falar em nome da verdade, pois nunca penetra na energia depressiva, fóbica, ansiosa deles. Entre um psicólogo e um paciente há um mundo intransponível, mediado pela limitada interpretação.

Do mesmo modo, o sistema jurídico tem extensos limites para compreender e julgar o ser humano. Seria um sonho para a criminologia avaliá-lo pelas suas reais intenções conscientes. Todavia, o sistema jurídico julga um réu não pelo que ele realmente pensa e sente, mas pela cortina das suas reações externas. Por isso, precisa de testemunhas, de reconstrução da cena do crime, de detectores de mentira e de advogados de defesa e de acusação para julgá-lo com mais justiça e menos equívocos.

O autor da vida não tem os limites que nós humanos temos para julgar. Ele vaza a vidraça de nossos comportamentos e penetra nas entranhas de nossa alma. Jesus foi julgado pelo único Ser que não tem limites para julgar.

A ciência pode falar muito pouco sobre esse assunto, mas é possível inferir que Deus não julgou a Jesus como seu filho, mas como um homem. Cada pensamento, cada sentimento e cada reação do homem Jesus passou pelo crivo do julgamento de Deus. Somente um homem poderia morrer pela humanidade, somente um homem poderia resgatá-la e servir de modelo para ela.

Muitas pessoas confundem a perfeição com sofrimento. Alguns acham que Jesus foi sobre-humano e por isso não sofria. Outros querem encontrar defeitos nele, porque tendo defeitos, poderia servir de modelo a nós, meros mortais. Tenho encontrado alguns cientistas que têm me dito que, se Jesus tivesse algum defeito, seria mais fácil espelhar-se nele.

Cristo pode servir de espelho para o homem, porque foi um homem como qualquer ser humano. Sofreu, chorou, viveu momentos de extrema ansiedade e teve diversos sintomas psicossomáticos. Apesar disso, ele foi perfeito. Perfeito como? Perfeito na sua capacidade de incluir, perdoar, se preocupar, compreender, ter misericórdia, se doar, respeitar, ter dignidade na dor. Perfeito na sua capacidade incondicional de amar, na sua habilidade de ser líder do mundo das idéias e administrador das suas emoções.

João Batista, seu precursor, antevia esse julgamento. Ele se comportava de maneira estranha. Vestia pele de camelos e comia gafanhotos e mel silvestre. Seu falar também manifestava algo estranho à nossa inteligência. Ao ver Jesus, ele declara, altissonante: "Eis o cordeiro de Deus que tira o pecado do mundo".[69] Como pode um homem ter a responsabilidade de eliminar a culpa das injustiças humanas?

Ele morreu por causa das mazelas e misérias da alma humana. Por um lado, o ódio do sinédrio judaico e o autoritarismo da política romana o mataram. Por outro, a sua morte foi usada pelo Juiz do universo como um sacrifício para estancar a culpa de uma espécie que tem o privilégio de ser inteligente, mas que não honrou sua capacidade de pensar.

As páginas de nossa história nos envergonham. Até as tribos mais primitivas estão saturadas de agressividade contra seus semelhantes. As guerras, as discriminações, os genocídios, as injustiças contra as mulheres, a exclusão de minorias saturam nossa história. Milhões de vidas são sacrificadas a cada década. Milhões de crianças anualmente são vítimas da fome e da violência.

E o que diríamos da violência sexual? Milhares de crianças são violentadas sexualmente todos os dias em todos os cantos da terra. Quem pode eliminar as zonas de tensão arquivadas nos becos de sua memória? As cicatrizes da memória nunca mais serão deletadas, apenas reescritas. Extorquiram-lhes a ingenuidade da vida. Deviam estar brincando, mas foram atropeladas pela violência dos adultos. E, por não terem oportunidade de se tratar, muitas sofrem dramaticamente.

A medicina preventiva alcançou conquistas enormes, mas o número de vidas que ela preserva é pequeno perto das perdas geradas pelas guerras, pela fome, pelos acidentes de trânsito. O mundo, o "cosmos" humano, o sistema social e político sempre foi injusto. A democracia tratou de alguns sintomas da injustiça, mas não eliminou a doença. Uns têm muito, outros nada possuem. Os grandes controlam os pequenos. A miséria física e emocional sempre foi companheira de nossa espécie.

Depois de tantas vidas sacrificadas, veio um homem que resolveu se sacrificar pela humanidade. Um homem que não pediu nada em troca, só se doou. Um homem que cuidou de todas as pessoas que o rodeavam, mesmo quando precisava de intensos cuidados.

De acordo com o propósito transcendental do Deus Altíssimo, Ele só poderia quitar as enormes dívidas da humanidade se o homem Jesus fosse perfeito em todos os aspectos de sua vida. Foi usado o símbolo do cordeiro para expor os aspectos psicológicos desse homem ímpar.

Um cordeiro é um animal tranqüilo. Jesus foi o mais tranqüilo dos homens. Um cordeiro é dócil até quando está morrendo. Jesus, contrariando os paradigmas da psicologia, demonstrou uma doçura e amabilidade inimagináveis na cruz.

A visão de um filósofo de Deus

Agostinho é considerado um grande filósofo. Foi um filósofo de Deus. Certa vez disse uma frase intrigante e complexa: "Deus se tornou um homem para que o homem se tornasse Deus"[XIV].

Agostinho, nesse pensamento, quis dizer que o objetivo de

Deus era que o homem recebesse, através de Jesus Cristo, a sua vida e conquistasse o dom da eternidade. Recebendo a vida de Deus teria acesso a todas as dádivas do Seu Ser e a condição de se tornar filho de Deus seria a maior delas.

O próprio apóstolo Pedro, na sua velhice, escreveu em uma de suas cartas que através de Cristo "nós somos co-participantes da natureza de Deus".[70] Incompreensível ou não, era essa a idéia que norteava o projeto de Jesus e que envolvia os seus apóstolos e seus mais íntimos seguidores. Como pode o homem, mortal, cheio de falhas, limitado e que freqüentemente desonra sua inteligência se tornar filho do Autor da vida e ser eterno como Ele?

Marx, Hegel, Freud, Sartre e tantos outros pensadores da filosofia e da psicologia objetivavam no máximo que seus discípulos seguissem suas idéias, mas Jesus Cristo objetivava que seus discípulos fossem além da compreensão das suas idéias, que participassem de uma vida que transcende a morte. Através da cruz, ele queria abrir uma janela para a eternidade. O mestre da vida tinha inquestionavelmente o projeto mais alto que nossa mente pode conceber.

A filosofia do caos e a preservação dos segredos da memória

Nada é tão belo quanto o universo e nada tão dramático quanto ele. Não há nada estável no mundo físico. Tudo se organiza, posteriormente vivencia o caos e se organiza novamente. O sol perde matéria à medida que emite ondas eletromagnéticas, luz. Se nossa espécie fosse capaz de viver muito tempo, assistiria ao desaparecimento do sol e, conseqüentemente, da vida na terra. Todos os dias planetas e estrelas são formados e todos os dias outros corpos celestes são exterminados. É impossível evitar o caos.

A organização, caos e reorganização da matéria e da energia ocorre num processo aparentemente sem fim. O caos está presente não apenas no mundo físico, mas também no campo de energia psíquica, na alma ou psique.

Durante anos pesquisei algo que muitos cientistas não tiveram a oportunidade de pesquisar: a teoria do caos da energia psíquica[XV]. Cada pensamento se organiza, em seguida se desorganiza e depois se organiza em novos pensamentos. Cada emoção se organiza, se desorganiza e se reorganiza em novas.

Se você tentar reter um pensamento, perceberá que não conseguirá. Daqui a alguns segundos ele se desfará e você estará pensando em outra coisa. Se tentar preservar uma emoção prazerosa, também não terá êxito. Mesmo que você tenha ganhado o prêmio Nobel ou um Oscar, em questão de horas a emoção do sucesso estará se desorganizando e sendo substituída por outra emoção.

O caos da energia psíquica é inevitável e criativo. Sem ele, tudo seria uma mesmice. Note que a cada dia produzimos milhares de pensamentos e emoções em um processo sem fim.

Nada é rigidamente estável no campo de energia psíquica e no mundo físico. Não existe equilíbrio psicológico como alguns psicólogos pensam, pois nada é estático. Não queira ser mecânico, solidamente estável, porque não conseguirá, a não ser que seja artificial. Todos temos uma emoção que flutua. Em alguns momentos estamos alegres e em outros, tensos.

Entretanto, a energia emocional não deve ser muito flutuante. Não é saudável ter imensa alegria num momento e intensa explosão ansiosa noutro. A flutuabilidade da emoção deve ter patamares de estabilidade. O adequado seria ter emoções alegres, prazerosas, tranqüilas que se alternassem com algumas experiências não profundas de ansiedade.

O caos, apesar de expandir o mundo das idéias e das emoções, e, portanto, ser extremamente criativo, pode trazer algo dramático para a memória. O caos dos arquivos da memória pode destruir a identidade e a consciência humana. Nada é tão grave quanto isso para a inteligência.

A memória deve ser reeditada e renovada constantemente, mas as suas matrizes não podem atravessar o caos definitivo. Se as informações da memória se desorganizarem através de um tumor cerebral, traumatismo craniano, degeneração das células nervosas ou pelo fenômeno da morte, não há como resgatarmos nossa identidade a não ser pela existência de um Deus com um poder muito maior do que podemos imaginar.

Veja a angústia de quem possui doença degenerativa cerebral. Golpeado por essa doença, um cientista pode virar uma criança e não saber mais o que faz e nem quem é. Terá perdido a maior dádiva da inteligência: a consciência.

Muitos talvez não entendam o que quero dizer, mas esse assunto ocupa o centro dos meus pensamentos. Ser pensador da filosofia me faz refletir sobre questões que as pessoas normalmente não pensam. Um dia iremos morrer. A pior coisa que a morte pode nos causar é danificar caoticamente a colcha de retalhos de nossa memória.

Preservar os segredos de nossa memória é fundamental para preservarmos nossa consciência e sabermos quem somos. Caso contrário, perderemos os parâmetros da inteligência, perderemos nossa capacidade de compreender. Assim, não teremos passado nem história, não seremos nada, apenas "átomos" errantes.

Se o fenômeno da morte destruir seus arquivos e não houver Deus para resgatá-los, tudo o que você foi e fez nesta terra não terá mais significado, pois você não existirá como ser consciente.

Por isso, reitero o que já comentei. Crer em Deus é mais do que um ato de fé, é um ato inteligentíssimo. É crer na possibilidade de continuarmos pensando, sentindo, existindo. É crer na possibilidade de reencontrarmos e convivermos com as pessoas que amamos. É ter esperança de reunirmos nossos filhos e amigos numa existência real e infindável. Sem a existência de Deus, nossa casa definitiva seria um túmulo lúgubre, solitário, frio e úmido. Nada poderia ser pior.

Todos os ateus que passaram nessa terra amaram a liberdade de pensar e de expressar suas idéias, inclusive a idéia de que Deus não existe. Se essas idéias estivessem corretas, eles perderiam o que mais amavam, a liberdade de pensar, pois o caos da morte destruiria a memória deles e não haveria Deus para resgatá-la.

Quando era um dos mais céticos ateus, não imaginava que amava tanto a minha liberdade de pensar e nem compreendia que ler a memória e construir idéias eram processos tão delicados. Quando estudei com detalhes algumas áreas da construção dos pensamentos e alguns relevantes papéis da memória, pude perceber que Deus precisa existir. Se Ele não existir, meus livros poderão ficar, mas nada do que fiz terá significado para mim, somente para os que estiverem vivos. Não serei nada além de um amontoado de pó mórbido e desorganizado.

Jesus compreendia tudo o que estou escrevendo. Ele falava da vida eterna não como um delírio religioso, mas como a necessidade de preservar a memória e continuar a existência.

Um dia, exaltou sobremaneira uma mulher que quebrou um vaso contendo um precioso perfume e o derramou sobre a sua cabeça. Ela sabia que ele ia morrer e sabia por que ele estava morrendo. Seu coração estava tão agradecido que derramou sobre a sua cabeça o que ela tinha de mais precioso. Os discípulos, desatentos, criticaram o seu ato. Eles acharam que era um desperdício derramar um perfume tão caro daquele modo. Eles não viam o que ela viu.

O mestre da vida fitou seus discípulos e disse que onde fosse pregado o seu evangelho seria contado o que ela tinha feito para a memória dela. Ele estava falando sobre a preservação da memória. Disse que mesmo após a morte dela seria contado o quanto ela o tinha amado. Ele honrou a memória dela. Aqui, ele resume seu ambicioso projeto, um projeto que jamais será alcançado pela psicologia, que é preservar a memória humana e, conseqüentemente, a capacidade de pensar e de ter consciência de quem somos.

A memória tem um valor supremo para a vida eterna sobre a qual Jesus discursava. Ela é o alicerce da inteligência. Perdê-la é se perder como ser pensante. Ela é fundamental também nessa breve existência. Por isso, têm razão as pessoas idosas que receiam perder a sua memória. Têm razão quando se cuidam para evitar que tenham problemas cerebrais.

É possível conservar a consciência até o último minuto de vida, como ocorreu com Jesus. Ele tinha uma dieta não exagerada, andava muito, tinha muitos amigos, era alegre, exercitava seu raciocínio, meditava freqüentemente e se doava para as pessoas. Tais ingredientes são excelentes para preservar a capacidade de pensar. Você um dia pode se aposentar do seu trabalho, mas jamais poderá aposentar a sua mente. O exercício do raciocínio é fundamental para conservar a lucidez.

As palavras de Jesus deixam atônitas a física, a psicologia, a psiquiatria e todas as neurociências. Ele discorreu, sem titubear, sobre uma vida que preserva a memória e que transcende o caos da morte. Disse: "Eu sou o pão da vida, quem de mim comer viverá eternamente"[71]

Que homem é esse que discursa com exímia segurança sobre uma vida que supera os princípios da física? Que homem é esse que nos traz uma esperança que a medicina nunca sonhou sequer em prometer? Ele se sacrificou ao máximo para tornar realidade aquilo que só pode ser alcançado pela fé. Nunca a ciência ficou tão perplexa diante das palavras e da trajetória de um homem.

O maior empreendedor do mundo

Os pensadores da filosofia sofreram por ser fiéis às suas idéias, alguns foram presos e banidos da sociedade. Mas Jesus foi além. Ele esgotou toda sua energia para ser fiel ao seu plano. Permitiu, inclusive, ser julgado por Deus. Encorajou-O a penetrar em todos os becos e recônditos de sua alma. A análise dos seus comportamentos revela um homem coerente com sua história e controlado por uma meta transcendental. Um homem profundamente apaixonado pela espécie humana.

Você tem metas que controlam sua vida ou vive de qualquer maneira? Se as tem, você é coerente com elas? Alguns têm a meta de ser milionário, de ser um artista de Hollywood, de estar nos degraus mais altos da fama. Outros têm metas mais nobres, desejam ser felizes, sábios, cultos, úteis para sua sociedade, conquistar muitos amigos e conhecer os mistérios da vida.

Muitos sonham alto, mas nem todos os sonhos se

materializam. Por quê? Um dos motivos é que suas metas não os controlam. Os obstáculos no meio do caminho os desanimam e os desviam de sua trajetória.

O mestre da vida sofreu inumeráveis acidentes pelo caminho, foi inclusive considerado um impostor e um reacionário. Além disso, as pessoas que andavam com ele eram lentas para aprender o alfabeto do amor e rápidas para soletrar o alfabeto da discriminação e do ódio. Felizmente a palavra "desistir" não fazia parte do seu dicionário. Jamais se desviou da sua trajetória. Seguiu só, sem o conforto de seus amigos e sem a compreensão do mundo, mas não parou...

Dormir ao relento, ser rejeitado, ser traído, negado, ferido e odiado não eram problemas capazes de bloqueá-lo. Uma visão controlava as entranhas da sua alma. Ele foi o maior empreendedor do mundo...

A motivação de Jesus era inabalável. Mesmo agonizando, com crises de tremores musculares e com o coração arrítmico, ainda não reclamava. Até que, finalmente, pela primeira vez, ouviu-se aquele homem reclamar. Reclamou uma única vez. Do quê? De Deus tê-lo abandonado. Foi a mais justa e branda reclamação. Vejamos.

A 5ª. frase:
"Deus meu, Deus meu, porque me desamparaste...".

Por volta da hora nona, clamou Jesus em alta voz: "Deus meu, Deus meu, por que me desamparaste?".[72] O mestre da vida podia suportar que o mundo desabasse sobre sua cabeça, mas não podia ser desamparado por Deus. O que indica que por detrás do cenário seu Pai era seu alicerce emocional.

Deus, na condição de Pai, não se ausentara nem um

segundo, mas quando assumiu sua condição de Juiz, precisou desampará-lo para julgá-lo. Aliviar Jesus consumia a alma de Deus. Mas nenhum Juiz pode ter vínculos com um réu quando vai julgá-lo, caso contrário, maculará o seu julgamento. Todas as iniqüidades da humanidade recaíram sobre Jesus, ao mesmo tempo que Deus vasculhava cada viela dos seus pensamentos e emoções.

O Autor da vida já angustiava-se sobremaneira ao ver seu filho agonizando, agora afastando-se dele e se comportando como um Juiz sofria mais intensamente. Teria de deixá-lo morrer só, sem nenhum conforto, sem a sua presença.

Os últimos momentos da crucificação são um grande mistério. Jesus deixou definitivamente sua condição de filho de Deus e assumiu plenamente sua condição de homem. Deus deixou, por sua vez, a condição de Pai e assumiu a condição de Juiz. Só um homem poderia substituir a humanidade.

Tal Juiz só aceitaria que Jesus desculpasse a humanidade se ele fosse um homem, se amasse incondicionalmente, se não fosse controlado por pensamentos negativos, se fosse capaz de se colocar aos pés dos homens, se nunca usasse seu poder para pressionar as pessoas ou obter qualquer vantagem e se tivesse um comportamento sublime nos braços de uma cruz. Diariamente somos imperfeitos. Eu já desisti de ser perfeito. Todavia, Deus exigiu um comportamento do homem Jesus que jamais poderia exigir de qualquer ser humano.

O mestre do amor estava literalmente morrendo. Sua boca estava profundamente seca; seu corpo, desidratado e ensangüentado. O volume sangüíneo era insuficiente para ser bombeado e nutrir suas células. A fadiga respiratória se exacerbava. Respirava rápido e curto. Não havia posição adequada para relaxar.

Os crucificados ao seu lado deviam emitir sons altos e apavorantes. Contudo, ninguém ouvia Jesus gritar. Só a ausência de seu Pai o fez clamar. Não lhe pediu que o livrasse da cruz, não lhe pediu anestésico, queria apenas a sua presença. O mundo escureceu. Seu sofrimento chegou ao limite do insuportável.

Ele não gritou: "Pai, por que me desamparaste". Por quê? Porque sabia que seu Pai nunca o desampararia. Se clamasse o Pai, esse poderia fazer a sua vontade. Mas bradou: "Eli, Eli lemá sabactâni: Deus meu, Deus meu, por que me desamparaste? ".

Clamando a Deus e não ao Pai

Uma das experiências mais dolorosas do homem é a solidão. Mesmo um ermitão precisa da natureza e das suas próprias fantasias para superar sua solidão. A solidão da cruz foi o momento final da história de Cristo. Mas quem pediu para Deus desampará-lo? O próprio Jesus. Quando disse: "Pai, perdoa-os porque eles não sabem o que fazem", autorizou seu Pai a assumir a condição de Deus e julgá-lo no lugar dos homens.

Ao desculpar os indesculpáveis, o mestre do amor assumiu sua condição de cordeiro de Deus que eliminaria as injustiças humanas através de seu sacrifício. Seu Pai só assumiu a posição de Deus e juiz nos últimos momentos. A análise é impressionante. Jesus Cristo tomou partido da humanidade e, por isso, perdeu o único recurso que ainda lhe dava algum alívio, a presença de Deus.

Faltam-me palavras para descrever a dimensão da emoção de Jesus. Não consigo explicar esse amor. Talvez os teólogos do mundo possam falar muito melhor sobre ele. O apóstolo Paulo o considerava inexplicável: "O amor de Deus excede todo entendimento".[73]

Como alguém pode amar tanto quem não o ama? Os pais podem amar filhos rebeldes, agressivos, criminosos, mas não têm capacidade de amar filhos que não são seus e com os quais não têm vínculos. Todavia, Jesus estava morrendo não apenas pelas mulheres que choravam aos pés de sua cruz, mas também pelos carrascos que retiraram suas vestes e o crucificaram. Estava morrendo por homens que debocharam dele, que o trocaram por um assassino, Barrabás, e o consideraram o mais herético dos homens. Como isso é possível?

Por ter comportamentos tão distantes do cenário de nossa imaginação, é que tenho comentado nesta coleção que é impossível à mente humana criar um personagem com as características da personalidade de Jesus. As maiores evidências de que ele existiu não são arqueológicas, não são os inumeráveis manuscritos antigos, mas o território da sua emoção, no funcionamento extraordinário da sua mente.

Deveria estar confuso, delirando, sem condições de raciocínio inteligente, mas, por incrível que pareça, tinha tanta consciência de onde estava e do cálice que estava tomando que clamou a Deus como um homem e não como filho de Deus. Ofertava na cruz a energia de cada uma de suas células em favor de cada ser humano.

Enquanto os homens o esbofeteavam, se calava. Enquanto o coroavam com espinhos, se silenciava. Enquanto o cravavam na cruz, gemia sem alardes. Mas quando Deus o desamparou, ele não esbravejou, mas chorou intensamente, sem lágrimas, pois estava desidratado. A presença de Deus era uma perda incalculável.

Não um herói, mas um homem fascinante

Deus não era, para Jesus, um símbolo religioso, nem um

ponto de apoio para superar as suas inseguranças. Deus era real, tinha uma personalidade, falava com ele, alimentava-o com suas palavras. Que Deus é esse que é tão real e tão intangível aos nossos sentidos?

Os biógrafos clássicos de Jesus Cristo, que escreveram os quatro evangelhos, tiveram uma honestidade impressionante na descrição dos seus últimos momentos. Quem tem experiência na arte de interpretar pode perceber a fidelidade literária desses biógrafos. Por quê? Porque a descrição que fizeram não se prima pela ostentação nem pelo exagero.

Eles não maquiaram o personagem Jesus. Não criaram um mártir ou um herói religioso. Se eles quisessem produzir um herói religioso fictício eles jamais reproduziriam nos evangelhos a sua exclamação "Deus meu, porque me desamparaste!". Eles teriam escondido esse momento, pois aqui ele mostra o máximo da sua fragilidade como homem. Todavia, foram honestíssimos na sua descrição. Jesus era uma pessoa fascinante, mas sem Deus, também não tinha sustentação.

As frases que os autores dos evangelhos relataram perturbaram a mente e geraram dúvidas em milhões de pessoas ao longo dos séculos. Até hoje muitos não compreendem por que Jesus clamou pelo desamparo de Deus. Eles indagam: "Mas ele não era filho de Deus?" Não compreendem que na cruz ele se comportou como um homem até às últimas conseqüências. Embora gerasse dúvidas, o que ele falou foi relatado nos evangelhos.

Falou poucas e curtas frases. Não poderia proferir longas frases, pois estava ofegante, aflito e debilitado. Mas as frases que proferiu escondem segredos difíceis de entender.

O mais misterioso desse homem fascinante é que vários aspectos de sua biografia já tinham sido descritos sete séculos antes dele vir ao mundo. A descrição detalhada que o profeta Isaías fez do seu martírio desde que saiu da casa de Pilatos beira ao inimaginável. Disse: "Como pasmaram muitos a vista dele. O seu aspecto estava muito desfigurado, mais do que qualquer outro homem... Era o mais desprezado entre os homens. Homem de dores, que sabe o que é padecer... Verdadeiramente ele tomou sobre si as nossas enfermidades, e as nossas dores levou sobre si; e nós o reputávamos por aflito, ferido de Deus, e oprimido. Mas ele foi ferido pelas nossas transgressões e moído pelas nossas iniqüidades; o castigo que nos traz a paz estava sobre ele...".[74]

Como não se surpreender com um homem que, além de possuir uma personalidade espetacular, foi predito em prosa e verso séculos antes de vir ao mundo? Que plano surpreendente estava nos bastidores da cruz? A psicologia almeja ajudar o homem a ser autor de sua própria história, uma história que raramente dura mais de cem anos. Mas o mestre da vida fez planos para o homem conquistar uma história capaz de romper a bolha do tempo.

Muitos desses eventos entram na esfera da fé. A fé acena de longe para a ciência. Mas o pouco que podemos analisar sobre o homem mais deslumbrante que pisou nesta terra é suficiente para concluirmos que nossas bibliotecas científicas são apenas uma poeira no espaço infinito do conhecimento.

Uma pequena cruz de madeira escondeu segredos que a literatura científica não consegue desvendar. Gemidos de dor fizeram poema pela primeira vez... Seis horas e oito frases esconderam um conhecimento sobremodo elevado... O perfume de sua serenidade até hoje é exalado das letras dos evangelhos...

CAPÍTULO 11

CONSUMANDO SEU PLANO. O CÉREBRO E A ALMA

6ª. Frase: "Tenho sede..."

O que é mais importante: um cantil de água ou um baú de ouro? Depende. Em um deserto, um cantil de água vale mais do que todo ouro do mundo. Temos tantas coisas agradáveis ao nosso redor e que custam tão pouco, mas só as valorizamos quando delas sentimos falta.

As sessões de tortura e os sangramentos que Jesus teve em seu julgamento já o haviam desidratado. A caminhada em direção ao Calvário o desidratou ainda mais. Para completar, a crucificação e o calor do sol até ao meio-dia espoliavam mais água do seu debilitado corpo.

Os criminosos ao seu lado deviam declarar que estavam sofrendo e sedentos e, talvez, fossem atendidos. Mas o mestre da vida mantinha-se calado. Nos últimos momentos antes de morrer, manifestou uma necessidade que o consumia. Disse: "Tenho sede!".

Após seis horas de crucificação, sua língua, gengiva e palato estavam fissurados. Seus lábios estavam rachados. A sede era profunda. Quando estamos aflitos, a percepção do tempo pela emoção fica alterada. Cada minuto custa a passar.

Um pouco de água seria um grande golpe de misericórdia dos soldados. Todavia, não pediu água a eles, disse apenas que tinha sede. O mestre tinha uma estrutura emocional tão grande que mesmo quando falava de seus instintos, ele o fazia com brandura. Por um copo d'água as pessoas são capazes de se matar quando estão sufocadas pela sede.

Jesus mostrava um domínio de si impressionante. Tal domínio era fruto espontâneo de sua personalidade. Mas quando precisava chorar, ele o fazia sem qualquer receio. Do mesmo modo, quando precisava declarar seus sentimentos angustiantes, não se maquiava como nós, mas os demonstrava sem temores.

No Getsêmani, horas antes de ser crucificado, viveu o topo do *stress*. Sabia que morreria sem anestesia. Quem suportaria saber que no dia seguinte faria uma cirurgia sem anestesia? Há uma história de que alguns amigos prenderam um jovem numa linha de trem, só que numa linha paralela à que o trem realmente iria passar. Quando o trem passou, o jovem ficou tão estressado que sofreu um enfarte.

Jesus poderia ter tido um colapso cardiocirculatório por saber que enfrentaria a cruz e, ainda por cima, por ter de controlar seus instintos. Seu corpo todo pedia para que fugisse de Jerusalém, mas ele dominava seus instintos e se mantinha lúcido. Por isso, ficou profundamente deprimido.[75] Ficou deprimido, mas teve a coragem de dizer o que estava sentindo.

Muitos líderes espirituais, empresariais e políticos têm medo de revelar sua miséria emocional. Têm receio de falar da sua dor, dos seus conflitos e dos seus temores. Quanto mais sobem na escala do sucesso, mais se aprisionam numa bolha de solidão. Precisam desesperadamente de amigos e de dividir seus temores mais íntimos, mas emudecem-se. Mantêm sua imagem de herói, enquanto naufragam nas águas da emoção.

O mestre dos mestres nunca se aprisionou numa bolha de solidão. Nunca se viu um homem tão seguro como ele, mas, ao mesmo tempo, nunca se viu alguém tão gentil, simples e espontâneo.

Quando precisou falar de sua dor, chamou três amigos íntimos que não tinham condição alguma de consolá-lo, mas mesmo assim o fez.[76] Deu-nos, desse modo, um exemplo de que não devemos ser artificiais, mas falar a verdade, mostrar nossos sentimentos, ainda que com grande respeito.

Quando não suportou mais sua sede, não teve receio de dizer. Mas, quando disse, sabia que não seria atendido. Se os seus carrascos o desafiavam a sair da cruz, certamente zombariam dele se pedisse água. Fizeram pior que isso.

A dor da sede, quando não é saciada, gera uma das piores angústias humanas. Há pessoas que tomaram sua própria urina para matar a sua sede. Quando Jerusalém foi sitiada em 70 d.C. pelos romanos, as pessoas beberam águas de esgoto para matar a sede. Da próxima vez que tomar água, sinta prolongadamente o prazer de bebê-la.

Quando escrevia esses textos já era quase meia-noite. Estava com sede, então, pedi para minha esposa que me trouxesse um copo d'água. Ela não me criticou pelo horário, mas gentilmente o trouxe. Então, ao bebê-la, senti que a água não apenas tinha saciado meu corpo, mas também refrescado minha alma. Lembrei-me de Jesus.

Ao manifestar que estava com sede, os soldados, sem nenhuma piedade, não apenas não lhe deram água, mas vinagre.[77] O vinagre é um ácido: ácido acético. Quando os soldados embeberam uma esponja com o vinagre e o deram para Jesus beber, ele sentiu uma dor indescritível. O ácido acético penetrou em cada fissura da sua boca e provocou uma sensação horrível de queimação.

Sua língua e seus lábios pegaram "fogo". Queria abanar com suas mãos a sua boca, mas estava pregado na cruz. Não podia fazer nenhuma manobra para ser aliviado. Tremia de dor e mexia sua cabeça sem parar para tentar suavizá-la. Nada adiantava. Não tinha mais força para respirar e se refrescar com o ar que saía dos seus pulmões.

Era o momento de desistir dos soldados. Era o momento de se esquecer da humanidade. Seus carrascos sentiam prazer ao vê-lo contrair-se de dor. Mas ele sofreu calado. De fato, ele soube o que era padecer.

Vimos que a emoção controla a leitura da memória e, conseqüentemente, a capacidade de pensar. Quando estamos sob o foco de uma dor, fechamos os territórios de leitura da memória e reagimos sem pensar. Esses mecanismos não aconteciam com a mente de Jesus. O amor abria as janelas da sua memória e o conduzia a pensar antes de reagir.

Nunca um homem reuniu, com tanta eficiência, em um mesmo universo, o mundo da emoção e o mundo da razão. Nos limites dos instintos reagiu com o máximo de inteligência. Se os pais da psicologia tivessem estudado o homem Jesus, teriam ficado estarrecidos e insones.

Está consumado

Os discípulos de Jesus não estavam entendendo a sua morte. Era inexplicável um homem tão forte e que falava de Deus como nenhum outro estar morrendo como um miserável. Alguns estavam escondidos e amedrontados em alguma casa de Jerusalém. Talvez outros estivessem a centenas de metros do Calvário contemplando de longe o cenário da cruz.

De fato, quem poderia compreender tal espetáculo? Hoje, distante dos fatos é mais fácil entender algo, mas naquela época era quase impossível tal compreensão. Todos pranteavam a sua morte. Cada lágrima era uma gota de dúvida...

Quem poderia imaginar que o Autor da vida assistia inconsolado à morte do seu filho? Quem poderia entender que pela primeira vez na história um pai viu seu filho morrer e, tendo poder para isso, não o resgatou da morte? Quem poderia aceitar o fato de que uma pessoa forte e inteligentíssima morria como o mais frágil dos homens?

O apóstolo Paulo tinha razão ao escrever que a palavra da cruz é loucura para os que não a compreendem.[78] Jesus planejou sua vida e sua morte. Morreu no tempo certo e do jeito que tinha traçado. Já havia corrido risco de vida antes, mas se esquivou desses riscos com incrível destreza. Quando chegou o momento, disse simplesmente aos seus íntimos: "É chegada a hora" e ficou aguardando a escolta.

O mestre da vida conseguiu reunir duas características nobilíssimas da personalidade que são quase irreconciliáveis, a espontaneidade e um planejamento estratégico. Ele era uma pessoa agradabilíssima e, ao mesmo tempo, um grande estrategista.

Geralmente as pessoas excessivamente espontâneas não têm metas, espírito empreendedor nem pensam no futuro. De outro lado, as pessoas que planejam em demasia suas vidas, são engessadas, cheia de manias e dificilmente relaxam. Em que pólo nós estamos?

Quando o vinagre queimou sua boca e ele rangeu os dentes de dor, sabia que já estava nos segundos finais do seu martírio. Seu coração falhava e estava arrítmico. Sabia que completara o leque indescritível de suas dores. Tinha plena certeza de que passara no tribunal do mais importante juiz de todo o universo. Enquanto sua boca ardia, um alívio se produzia em sua alma.

Então, inesperadamente, bradou um grito de vitória. Disse: "Está consumado!".[79] Tinha vencido a maior maratona de todos os tempos. Já era hora de descansar.

8ª. frase:
"Pai, nas tuas mãos entrego o meu espírito..."

Ao dizer que tudo estava consumado, ele proclama altissonante: "Pai, nas tuas mãos entrego o meu espírito".[80] Por favor, preste atenção nas avenidas dessa frase e nas possibilidades a que ela nos conduz.

Jesus aqui não clama a "Deus", mas ao "Pai". Após ter passado no mais severo julgamento, Deus assume novamente a posição de Pai e ele assume a posição de filho. É a seu Pai que ele entrega o seu espírito e não a Deus.

Que impressionante jogo de palavras! Nesse jogo, o mestre revela o seu projeto eterno e alguns fenômenos que estavam nos bastidores da cruz! É impossível não ficarmos admirados com a coerência das suas palavras e com o encaixe perfeito dos seus segredos.

No começo da sua crucificação, o Pai e seu filho entoaram a mais profunda melodia de aflição. Sofreram um pelo outro. Na segunda metade, o Pai, sob o pedido consciente do filho, se torna seu Deus e o julga em favor da humanidade. Deus o desampara. O homem Jesus suporta a maior cadeia de sofrimentos.

Após cumprir seu plano, o filho está apto a realizar duas grandes tarefas. Primeira, ser o grande advogado da humanidade, que é tão bela, mas coroada de falhas, por isso precisará dele como um grande e atuante advogado.[81] Segunda, retornar ao relacionamento íntimo com seu Pai. O único desamparo que houve entre eles em toda a história do tempo foi resolvido. Eles se amaram mais ainda. Construíram juntos o maior edifício do amor e da inteligência.

Ao entregar o seu espírito ao Pai, ele abriu a mais importante janela do universo, mais importante que os buracos negros: a janela para a eternidade. Revelou que o espírito não é o mesmo que o cérebro, que possuímos algo além dos limites do mundo físico, do metabolismo cerebral, que chamamos de espírito e alma.

A última fronteira da ciência

A última frase de Jesus revela os maiores enigmas da ciência. A última fronteira da ciência é saber exatamente quem somos. É desvendar os limites e as relações entre a alma e o cérebro.

Qual é a natureza da solidão? Do que são constituídas a alegria e a ansiedade? Qual é o tecido que confecciona os pensamentos? São as idéias produtos de reações químicas? E a consciência humana, ela é fruto do espetáculo do metabolismo cerebral ou possui um campo de energia metafísico, que está além do mundo físico? Essas indagações revelam os maiores segredos da ciência.

Não pense, como já comentei, que os grandes segredos estão no espaço. Eles estão dentro de você, no mundo das idéias e dos pensamentos que deflagram a cada momento um *show* único no palco de sua mente. Somos inexplicáveis no atual estágio da ciência. O que temos é uma enormidade de teorias desconexas na psiquiatria, psicologia, neurociências que geram mais um caldeirão de dúvidas e algumas informações verdadeiras.

No mundo científico, existe uma corrente humanista de pesquisadores que crê que a alma não é o cérebro, mas que temos um campo de energia emocional e intelectual que não é apenas decorrente do metabolismo cerebral. Muitos psicólogos, psiquiatras e filósofos fazem parte dessa corrente.

Há outra corrente, chamada de organicista, que crê que a alma e o espírito humanos são meramente químicos. Segundo ela, pensar e se emocionar são apenas frutos de reações químicas cerebrais. Muitos respeitados organicistas estudam com afinco a fisiologia, a anatomia, o metabolismo e as sinapses cerebrais (comunicação entre os neurônios).

Há uma terceira corrente que fica no meio do caminho, é a maior de todas. Eles não sabem se posicionar e dizer se a alma é química ou não. Não pensam nesse assunto. Exercem suas funções como psicólogos, psiquiatras, sociólogos, educadores, sem entrar nessa seara de idéias filosóficas.

Os humanistas criticam a atuação exclusiva dos medicamentos psicotrópicos. E os organicistas acreditam que só eles resolvem as doenças psíquicas, pois tais disturbíos, segundo eles, são decorrentes de erros metabólicos.

Não faz muito tempo, um paciente que estava com depressão, disse-me que foi impedido, pelo seu psiquiatra anterior, de ir a um psicólogo para fazer psicoterapia, pois afirmou que o problema dele só poderia ser resolvido com medicamentos.

Muitos psiquiatras organicistas usam determinadas teorias como se fossem verdades absolutas. Nem os cientistas que as elaboram afirmam que elas são verdadeiras. Mas seus discípulos, desconhecendo os limites de uma teoria, usam-nas como se fossem uma verdade irrefutável. Por isso dizem que somente medicamentos antidepressivos ou tranqüilizantes resolverão a depressão, síndrome do pânico, transtorno obsessivo.

Na ciência, os piores inimigos de uma teoria sempre foram seus discípulos radicais. Por usá-la sem critérios, eles distorcem seu valor e produzem opositores igualmente radicais. Esse radicalismo também ocorre entre os humanistas. Os piores inimigos de Freud ou de Marx não foram os inimigos de fora, mas os próprios freudianos e marxistas radicais. Eles tomaram a teoria psicanalítica e a socialista como verdade, tornaram-se incapazes de abrir o leque do pensamento e de corrigir suas rotas. Por fim, principalmente no caso da teoria de Marx, acabaram perdendo crédito e eficiência e conquistaram inumeráveis opositores.

Se você for radical na sua família, em seu trabalho e na maneira de ver o mundo, saiba que, além de estar engessando sua capacidade de pensar, está também conquistando uma série de pessoas que se oporão a você. Ainda que em silêncio. O radicalismo é uma armadilha contra nós mesmos.

Os fariseus foram radicais. Achavam que estavam prestando culto a Deus quando mataram Jesus. Jesus foi o mais anti-radical dos homens. Não queria discípulos que o seguissem cegamente, mas homens que fossem especialistas na arte de pensar, de amar e de incluir. O discurso de Jesus sobre o amor, o perdão, a compaixão, a paciência e a solidariedade é a mais excelente vacina contra o radicalismo. Se tais características fossem trabalhadas minimamente nos cientistas, daríamos um salto sem precedente na ciência.

Os humanistas radicais tendem a cair, às vezes, no

misticismo, superenfatizam fenômenos que só eles conseguem perceber e, conseqüentemente, se perdem no meio de idéias vagas. E os neurocientistas radicais tendem a cair no cientificismo, superenfatizam fenômenos controlados e observáveis e, conseqüentemente, engessam sua inteligência através de idéias restritas. Os humanistas querem analisar o homem dentro do mundo e os neurocientistas querem aprisioná-lo dentro de um laboratório.[XVI]

Os limites e as relações entre a alma e o cérebro

Todas essas correntes de pensamentos existem porque somos uma espécie complexa. De fato, a última fronteira da ciência é saber nossas origens. Descobrimos bilhões de galáxias, mas não sabemos quem somos. Desconhecemos qual é a natureza que nos tece como seres que pensam e sentem.

Afinal de contas, a alma é química ou não? Qual corrente de pensamento está correta, a dos pensadores humanistas ou a dos neurocientistas organicistas?

Ambas possuem verdades. Escrevi, durante anos, uma importante e longa tese discorrendo sobre os diversos fenômenos que ocorrem no processo de construção de pensamentos que evidenciam que a alma não é química. Apesar da alma não ser química, ela mantém uma relação tão intensa e interativa com o cérebro que parece que é química. Talvez um dia a publique.

O homo sapiens é uma espécie mais complexa do que imaginamos. Pensar, sentir solidão, sentir-se alegre, confortado, amar são fenômenos que ultrapassam os limites da lógica do metabolismo cerebral. Por essa linha de raciocínio, os pensadores humanistas estão corretos. Mas se levarmos em consideração que a alma coabita, coexiste e cointerfere com o cérebro de maneira tão estreita, verificaremos que os neurocientistas estão corretos, pois um erro metabólico (no metabolismo da serotonina, por exemplo) pode causar ou desencadear doenças psíquicas.

Ao estudar o processo de construção de pensamentos, percebi claramente que a lógica do cérebro não explica completamente o mundo ilógico das idéias e das emoções. Por isso, concluí, depois de milhares de páginas escritas, que de fato cada ser humano é um baú de segredos incalculáveis. Temos um campo de energia psíquica mais complexo do que todos os fenômenos do universo.

A construção de um simples sentimento de culpa ou humor triste possui uma complexidade inimaginável, capaz de ultrapassar em muito a lógica do metabolismo cerebral.

Da próxima vez que você estiver ansioso ou angustiado, admire esses sentimentos. Não tenha medo das suas dores emocionais. Saiba que elas são fruto de reações de indizível sofisticação e beleza.

Nesta tese demonstro que a linearidade e lógica dos princípios físico-químicos são completamente restritas para produzir o mundo multifocal dos pensamentos. Contudo, o mundo físico-químico cerebral pode interferir nessa produção e alterá-la completamente, principalmente por interferir no processo de abertura ou fechamento dos campos da memória.

Dois exemplos:
o efeito da cocaína e dos tranqüilizantes

Quando uma pessoa usa cocaína, depois de alguns segundos a droga irá transmutar energia física para o campo de energia psíquica que coabita e coexiste com o cérebro. Gerará uma estimulação da emoção que fechará algumas janelas da memória e impedirá que o usuário tenha raciocínio semelhante ao que teria sem o efeito da droga. Além disso, a emoção estimulada pela cocaína acelera a leitura de determinadas áreas da memória, a pessoa começa a pensar rápido e a criar fantasias de perseguição. Por isso, é muito comum que um usuário que está sob o efeito da cocaína ache que a polícia ou alguém o esteja perseguindo.

Que mecanismos ocorrem quando uma pessoa usa um medicamento tranqüilizante para combater a ansiedade? O medicamento transmuta energia física em determinados sítios cerebrais para o campo de energia psíquica, tranqüiliza a emoção do paciente, desacelera o processo de leitura da memória e diminui a velocidade da construção de pensamentos. Conseqüentemente, diminui a ansiedade, embora não resolva suas causas. Para resolvê-las, o paciente precisa aprender a proteger suas emoções diante dos focos de *stress*, reeditar as zonas de tensão da memória, gerenciar seus pensamentos e se tornar autor dos principais capítulos de sua história existencial.

A sustentação científica da última e enigmática frase de Cristo

Os cientistas, por não compreenderem a relação estreita, íntima e multidirecional da alma com o cérebro, têm vivido milhares de enganos e dúvidas sobre quem somos. Nunca pense que você não é uma caixa de segredos.

Se você não conseguiu entender o que escrevi, não desanime. Somos, de fato, complexos. Desejo, pelo menos, que você nunca perca sua auto-estima, que compreenda que você não é um simples ser humano, mas um ser humano inexplicável.

Ao estudar a mente humana, compreendi que a construção da inteligência e a transformação da energia psíquica têm fenômenos e variáveis tão complexas que não é possível explicá-la sem uma causalidade descendente, ou seja, sem a existência de um grande Criador. O mundo das idéias e das emoções tem fenômenos ilógicos que não se explicam pelos fenômenos lógicos do mundo físico.

Toda essa minha abordagem nesses últimos tópicos foi comentada para tentar dar sustentação "científica" à ultima frase de Jesus Cristo. Nessa frase ele faz a separação entre o espírito e a matéria. Entre a alma e o cérebro. Quando ele entregou o seu espírito ao Pai, ele acreditava plenamente que o seu corpo iria para um túmulo de pedra, mas seu espírito voltaria para o Autor da vida.

A maior dúvida de todos os tempos da humanidade é se existe ou não vida após a morte. A fé crê que existe, a ciência se cala porque não tem resposta. Todavia, na teoria que desenvolvi, produzi, talvez pela primeira vez, uma luz para a ciência.

Se as evidências científicas dizem que a construção de pensamentos ultrapassa os limites da lógica do cérebro, então há um campo de energia metafísico que coabita, coexiste e cointerfere com o cérebro, mas não é o cérebro. Portanto, quando o cérebro morre e se decompõe, esse campo de energia, que chamamos de alma e que inclui o espírito humano, será preservado do caos da morte. Se isso for verdade, essa é a melhor notícia científica dos últimos séculos.

Jesus não precisava dessas informações. Ele dizia possuir a vida eterna. Cria, sem margem de dúvida, que superaria a morte. Tinha sofrido muito, ficado longe de sua casa e do seu Pai, mas agora retornava a Ele.

Respeitado e amado em todo mundo

Há inúmeras faculdades de teologia no mundo que estudam Jesus Cristo, pertencentes a diversas religiões: católica, protestante e outras. Eu tenho respeito por todas essas faculdades e suas religiões. Elas estão incumbidas de levar os alunos a conhecer Jesus Cristo e seus ensinamentos.

Alguns desses alunos fazem mestrado e doutorado. Mas temos de confessar que quanto mais falamos de Jesus Cristo e penetramos nos recônditos dos seus pensamentos e nas implicações complexas das suas palavras, mais o admiramos e mais ficamos convictos de que o conhecemos muito pouco.

Embora eu não tenha grande mérito como escritor, pois o personagem que descrevo nos livros dessa coleção é que é fascinante, eles têm sido usados por pessoas de todas as religiões, adotados em diversas faculdades e escolas de ensino médio e fundamental. Felizmente, têm sido adotados também nas faculdades de teologia. A teologia precisa estudar a psicologia da humanidade de Jesus Cristo para compreender mais de perto a sua magnífica personalidade.

Bilhões de pessoas de milhares de religiões se dizem cristãs. A outra parte das pessoas que não o segue, tais como os confucionistas, os budistas, os islamitas e os hinduístas, o admira muito. Jesus Cristo é universalmente amado e admirado.

Ele sacrificou-se por toda a humanidade e não para um grupo de religiões específicas. Seus ensinamentos, sua inteligência suprema, sua sabedoria, sua causa e seu plano respeitam a cultura das pessoas e são capazes de penetrar no território da emoção e do espírito de cada uma delas e torná-las mais felizes, estáveis, contemplativas, inteligentes.

O que significa retornar ao Pai

Sua última frase esconde um grande enigma. Das milhares de frases que ele proferiu durante sua vida, essa é sem dúvida uma das mais enigmáticas. O que significa entregar o seu espírito ao Pai? Que retorno é esse?

Precisamos voltar nosso relógio cerca de vinte horas antes da sua morte e compreender as palavras contidas na sua mais longa e complexa oração.[82] Ele terminou sua última ceia e, saindo da presença dos seus discípulos, fez uma oração surpreendente. Nela declara, sem rodeios, pela primeira vez, a sua identidade. Os discípulos ficaram confusos, pois o mestre nunca tinha orado daquela maneira.

Jesus eleva seus olhos ao céu e começa sua oração. Olhar para o céu também indica que o mestre estava olhando, não para as estrelas, mas para uma outra dimensão, uma dimensão fora dos limites do tempo e do espaço, além dos fenômenos físicos.

Ele começa a orar e a assumir abertamente que não apenas era um homem, mas também o filho de Deus. Declara que era eterno, habitava em outro mundo e possuía uma natureza ilimitada, sem as restrições físicas do seu corpo. Revela algo perturbador. Apesar de ter pouco mais de trinta e três anos, disse: "Glorifica-me, ó Pai, contigo mesmo, com a glória que eu tive junto de ti, antes que houvesse mundo".[83]

A palavra grega usada no texto para mundo significa "cosmos". Cristo declarou que antes que houvesse o mundo, o "cosmos" físico, ele estava junto com o Pai na eternidade passada.

Há bilhões de galáxias no universo, mas antes que houvesse

o primeiro átomo e a primeira onda eletromagnética, ele estava lá. Disse que sua história ultrapassava os parâmetros do espaço e do tempo contidos na teoria da relatividade de Einstein.

Ninguém pode dizer tais palavras, a não ser que esteja delirando. Todavia ele não delirava, era sábio, lúcido, coerente e sereno em tudo o que fazia. Como não nos surpreendermos com esse homem?

Suas palavras eram tão inusitadas que ele se colocou até mesmo acima do pensamento filosófico da busca do "princípio existencial". A filosofia da busca do princípio existencial é a área do conhecimento que procura as origens da vida e do universo.

Como pode alguém afirmar que já existia no princípio do princípio? Como pode declarar que estava vivo no início antes do início, no estágio antes do "Big Bang" ou antes de qualquer princípio existencial? O que nenhum ser humano teria coragem e habilidade para dizer sobre si mesmo, Jesus Cristo disse com a mais alta segurança!

O tempo é o "senhor" da dúvida. O amanhã não pertence aos mortais. Não sabemos se daqui a uma hora estaremos vivos ou não. Entretanto, Cristo foi tão ousado que inferiu que ele estava além dos limites do tempo. O passado, o presente e o futuro não o limitavam. As respostas do mestre eram curtas, mas suas implicações deixam embaraçados quaisquer pensadores...

O mestre da vida continua, em vários aspectos, um grande mistério. Como pode um homem ter, a poucas horas de sua morte, um desejo ardente de resgatar um estado que tinha antes do "cosmos" físico e que era indestrutível, sem restrições, imperfeições, angústias, dores? Como pode alguém que está morrendo numa cruz declarar, no seu último minuto de vida, que entrega seu espírito ao seu Pai, inferindo que o caos da morte não o destruirá para sempre?

É difícil não investigá-lo e não travar em alguns momentos nossa inteligência. Ele morreu na cruz há dois mil anos, mas ainda é o mais falado e o mais noticiado dos seres.

Depois de ter vivido e pisado como um homem no árido solo desta existência e ter passado seis longas horas na cruz e de sofrer agonias inexprimíveis, ele retornou à sua casa.

A vida ficou mais agradável e suave depois da sua vinda. A humanidade conquistou novos rumos, pois uma revolução silenciosa tem ocorrido na alma e no espírito de milhões de pessoas... Muitas ainda hoje não seguram suas lágrimas quando navegam por sua história.

CAPÍTULO 12

MORREU NA CRUZ, MAS PERMANECEU VIVO NO CORAÇÃO DOS HOMENS

Um grito de vitória: morre o homem mais espetacular da história

Quando se entregou ao seu Pai, Jesus soltou um grito espantoso e sem palavra definida. Os textos dizem que foi um grito inexprimível[84]. Um homem morrendo não tem forças para gritar. Mas sua missão era tão complexa e exigia tanto dele, que ao cumpri-la deu um grito de vitória.

Venceu a ansiedade como nenhum psicólogo. Venceu a depressão como nenhum psiquiatra. Venceu a impaciência como nenhum filósofo. Venceu os desafios da vida como nenhum empresário. Venceu o orgulho e a auto-suficiência como nenhum educador. Passeou pelos vagalhões da emoção como quem anda em solo firme.

Venceu o medo da morte, o vexame público, a inibição social, a incompreensão do mundo, o desrespeito dos religiosos, a arrogância dos políticos, o terror noturno, as frustrações. Foi o homem mais tranqüilo que já passou por esta terra. Foi o mais resolvido, o maior poeta da emoção, o maior mestre da sabedoria e o mais afinado maestro da vida. A sinfonia que ele tocou e as lições que ele nos deu não têm precedente na história.

Só não foi grande aos olhos daqueles que até hoje não tiveram a oportunidade de estudá-lo, ou das pessoas, como os fariseus, que foram controladas pelos seus paradigmas e conceitos rígidos.

Depois de ter vencido tudo, não havia outra coisa a fazer, a não ser comemorar. Comemorou morrendo. Dormiu em paz.

Quando faleceu, alguns fenômenos físicos ocorreram. O centurião, o chefe da guarda que o crucificou, ao ver o seu fim, se dobrou aos seus pés. Confessou: "Verdadeiramente este homem era filho de Deus"[85]. Foi a primeira vez na história que um soldado de alta patente se dobrava aos pés de um miserável crucificado.

Ele havia observado todos os comportamentos de Jesus e guardava tudo em sua memória. Quando o viu morrer consciente, dizendo as palavras que disse, ele abriu seu coração e viu algo extraordinário. Ele viu um tesouro escondido atrás da cortina do corpo magro e abatido de Cristo. Como pode um corpo fraco e dilapidado inspirar homens fortes?

Jesus descansou tranqüilo, sem ter nenhuma dívida com os outros e sem levar nenhuma dívida dos outros. Talvez tenha sido a primeira pessoa na história que tenha fechado os olhos da existência sem cicatrizes na sua memória. Nunca alguém foi tão livre nos terrenos conscientes e inconscientes de sua personalidade! O mundo conspirava contra ele, mas não teve inimigos na sua alma.

A história se dividiu

Maria, sua mãe, chorava compulsivamente. João tentava consolá-la, mas ele mesmo estava inconsolado. Tomou-a em seus braços e conduziu-a pelo caminho, mas estava sem rumo, pois tinha perdido sua bússola.

Maria Madalena não queria ir embora. Parecia que o corpo sem vida de Jesus lhe pertencia. Colocava o rosto sobre seus pés e plantou-se no Calvário. A multidão ficou paralisada, demorou para se retirar. As poucas flores de Jerusalém perderam seu brilho, as avenidas se entristeceram e as casas ficaram desconfortáveis para os feridos de alma.

Ele morreu e descansou de suas dores. A morte lhe deu trégua das aflições. Antes de ser preso, disse no jardim do Getsêmani: "A minha alma está angustiada até a morte"[86]. O jardineiro da vida descansara...

Precisamos refletir sobre os conflitos da humanidade. Ela está mais culta, mas mais ansiosa e infeliz. Tem mais tecnologia, mas menos sabedoria e menos habilidade de lidar com perdas e frustrações. Estamos adoecendo coletivamente e sem referencial.

A maneira como Jesus Cristo gerenciou seus pensamentos, protegeu sua emoção e lidou com os complexos papéis da história é capaz de deixar não apenas assombrado qualquer pesquisador da psicologia, mas também de nos ajudar a prevenir as mais insidiosas doenças psíquicas das sociedades modernas.

A psicologia e a psiquiatria têm muito para aprender com a personalidade do homem Jesus. Ele é a maior enciclopédia de conhecimentos sobre as funções mais importantes da inteligência e da saúde da emoção. O que ele viveu e falou nos momentos finais da sua vida não tem precedente histórico. Representa a mais bela passagem da literatura mundial.

Um dia morreremos também. Quem se lembrará de mim e de você? Que sementes nós plantamos para que possam germinar nos que ficam? Alguns são esquecidos para sempre porque viveram, mas não semearam. Outros se tornam memoráveis. Partem, mas seus gestos, seu carinho, sua tolerância permanecem vivos no recôndito da memória dos que ficam.

O grande amigo da mansidão foi tão formidável que partiu a violenta história da humanidade ao meio. Jesus morreu, mas o que ele foi e fez o tornaram simplesmente um mestre inesquecível.

Ao morrer, parece ter sido o mais derrotado dos homens. Foi abandonado por seus amigos e destruído por seus inimigos. Mas sua história e sua morte foram tão magníficas que ele simplesmente dividiu a história. Ela é contada a.C. (antes de Cristo) e d. C. (depois de Cristo).

Sua tranqüilidade e generosidade transformaram-se em gotas de orvalho que umedeceram o seco solo dos nossos sentimentos. O mundo nunca mais foi o mesmo depois que o mestre do amor passou por aqui. Já faz tantos séculos, mas parece que foi ontem.

A vida, um show imperdível

Quando um semeador sepulta uma semente, se entristece por alguns momentos e se alegra para a posteridade. Entristece-se, pois nunca mais a vê. Alegra-se, pois ela renasce e se multiplica em milhares de novas sementes.

O mestre do amor semeou as mais belas sementes no árido solo da alma e do espírito humano. Cultivou-as com suas aflições e irrigou-as com seu amor. Foi o primeiro semeador que deu a vida por suas sementes. Por fim, elas germinaram e transformaram a emoção e a arte de pensar em um jardim com as mais belas flores.

A vida ficou mais alegre e mais suave depois que ele nos ensinou a viver. Ele foi famoso e seguido de maneira apaixonante, mas perseguido como o mais vil de todos. Soube ser alegre e soube sofrer. Ele fez da vida humana uma fonte de inspiração. Escreveu recitais com sua alegria e poemas com sua dor.

Teve o maior sonho e a maior meta de todos os tempos. Talvez fosse a única pessoa que conseguia erguer os olhos e ver os campos branquejando quando só havia pedras e areia à sua frente. Ele nos ensinou que é preciso ter metas, nos encorajou a sonhar com essas metas. Mostrou-nos que podemos vencer as algemas do medo e as amarras de nossas dificuldades. Colocou colírios em nossos olhos e nos revelou que nenhum deserto é tão árido e tão longo que não possa ser transposto...

Usou a energia de cada célula para viver intensamente cada momento e atingir seu grande objetivo, até que ela se esgotasse. Sua história foi pautada por grandes turbulências, mas ele considerou um privilégio ser um ser humano. A cruz foi a expressão solene do seu amor pela vida. Faltam-nos recursos literários para expressar a sua grandeza.

Foi um maestro da vida. Transformou as dificuldades e os problemas em ferramentas para afinar os instrumentos da inteligência e da emoção. Regeu a orquestra sinfônica da sabedoria numa terra onde se cantava a música do preconceito e da rigidez.

Tinha todos os motivos do mundo para desistir e para desanimar. Todavia, nunca desistiu da vida nem deixou de se encantar com o homem. A vida que pulsava nas crianças, nos adultos e nos idosos era esplêndida para ele. Ele sempre soube que não somos gigantes nem heróis, mas ainda assim fomos superamados.

Nunca se esqueça de que, independentemente de sua religião ou filosofia de vida, a história de Jesus Cristo revela a mais bela história de amor por você. Você e eu podemos ter todos os defeitos do mundo, mas ainda assim somos especiais. Tão especiais que as duas pessoas mais inteligentes e poderosas do universo, o Autor da vida e seu filho, cometeram "loucuras" de amor por nós.

Eles são apaixonados pela humanidade. Suas atitudes não cabem nos compêndios de filosofia, direito, psicologia e sociologia. Elas ultrapassam os limites da nossa compreensão.

Nunca nossas vidas valeram tanto! Nunca nossas vidas foram resgatadas por um preço tão caro! Cada ser humano foi considerado uma obra de arte única, inigualável, exclusiva, singular, excepcional!

A história de Jesus Cristo é o maior laboratório de auto-estima para a humanidade. Não podemos deixar de concluir que vale a pena viver a vida! Mesmo que tenhamos percalços, que choremos, que sejamos derrotados, que fiquemos decepcionados conosco e com o mundo, que sejamos incompreendidos e que encontremos obstáculos gigantescos à nossa frente...

Por isso, desejo que você nunca desista de caminhar. Caminhando, não tenha medo de tropeçar. Tropeçando, não tenha medo de se ferir. Ferindo-se, tenha coragem para corrigir algumas rotas da sua vida, mas não pense em recuar. Para não recuar nunca deixe de amar o espetáculo da vida, porque ao amá-lo, ainda que o mundo desabe sobre você, você jamais desistirá de caminhar...

A vida é simplesmente um *show* imperdível, uma aventura indescritível...

Notas

Bibliográficas I

01 - Mateus 1:18
02 - Mateus 4:24
03 - Mateus 19:2
04 - Mateus 7:28
05 - Mateus 16:13
06 - Marcos 7:27,28
07 - Mateus 13:10
08 - João 4:14
09 - Mateus 22:39
10 - Mateus 13:55
11 - Marcos 9:31
12 - Mateus 24:29
13 - João 10:39
14 - Mateus 8:24
15 - Mateus 5:7
16 - João 13:38
17 - João 14:19
18 - Lucas 2:40
19 - Mateus 8:20
20 - Mateus 6:28
21 - Mateus 13:3
22 - Mateus 9:12
23 - Mateus 17:25
24 - Mateus 5:5
25 - Lucas 9:54
26 - Mateus 26:6
27 - João 7:37
28 - João 8:10
29 - Mateus 26:31
30 - Lucas 23:26
31 - Lucas 23:27
32 - Lucas 23:28
33 - Lucas 23:31
34 - Lucas 22:62
35 - João 19:15
36 - Marcos 15:25
37 - Mateus 27:34
38 - Lucas 22:44
39 - João 19:19,20
40 - João 19:22
41 - João 8:5
42 - João 19:26
43 - Lucas 19:5

44 - I Coríntios 1:12
45 - Marcos 15:25
46 - Lucas 23:34
47 - Mateus 11:27
48 - Lucas 10:21
49 - Lucas 22:29
50 - Marcos 8:27
51 - Lucas 9:20
52 - Mateus 3:17
53 - João 1:17,18
54 - Apocalipse 22:13
55 - I Coríntios 13:27
56 - João 3:16
57 - Mateus 27:40
58 - Lucas 23:42
59 - João 4:1 a 27
60 - Lucas 23:43
61 - Lucas 1:46 a 55
62 - Lucas 2:19
63 - Lucas 2: 48
64 - João 19:26
65 - João 19:26
66 - João 19:27
67 - 3 João 1:15
68 - Romanos 3:23
69 - João 1:29
70 - 2 Pedro 1:4
71 - João 6:48 a 51
72 - Mateus 27:46
73 - Efésios 3:19
74 - Isaías 53:5
75 - Mateus 26:38
76 - Mateus 26:37
77 - João 19:29
78 - 1 Coríntios 1:18
79 - João 19:30
80 - Lucas 23:46
81 - 1 João 2:1
82 - João 17
83 - João 17:5
84 - Mateus 27:50
85 - Mateus 27:54 / Lucas 23:47
86 - Mateus 26:38

Foram utilizadas as seguintes versões dos evangelhos: A Bíblia de Jerusalém, TEB-Bíblia Ecumênica, João Ferreira de Almeida R. A., Kimg James e Recovery Version.

Notas

Bibliográficas II

I - * Cury, Augusto J., Inteligência Multifocal, Editora Cultrix, São Paulo, 1998.

II - * Cury, Augusto J., Treinando a Emoção para Ser feliz, Editora Academia de Inteligência, São Paulo, 2001.

III - * Zagury, Tania, Limites sem traumas, Editora Record, Rio de Janeiro.

IV - * Cury, Augusto J., Treinando a Emoção para Ser Feliz, Editora Academia de Inteligência, São Paulo, 2001.

V - * Cury, Augusto J., A Pior Prisão do Mundo, Editora Academia de Inteligência, São Paulo, 2000.

VI - * Cury, Augusto J., Inteligência Multifocal, Editora Cultrix, São Paulo, 1998

VII - * Cury, Augusto J., Análise da Inteligência de Cristo - O Mestre Inesquecível, Editora Academia de Inteligência, (a ser publicado).

VIII - * Josefo, Flávio, A História dos Hebreus, Editora CPAD, Rio de Janeiro, 1990.

IX - * Idem

X - * Cury, Augusto J., Você é Insubstituível, Editora Sextante, Rio de Janeiro, 2002.

XI - * Cury, Augusto J., Análise da Inteligência de Cristo - O Mestre da Sensibilidade, Editora Academia de Inteligência, 2000.

XII - * Freud, Sigmund. Os Pensadores, Editora Nova Cultural, Rio de Janeiro, 1978.

XIII - * Cury, Augusto J., Análise da Inteligência de Cristo - O Mestre dos Mestres, Editora Academia de Inteligência, 1999.

XIV - * Bettenson, Henry, Documentos da Igreja Cristã, Editora Aste/Simpósio, São Paulo, 1998.

XVI - * Cury, Augusto J., Inteligência Multifocal, Editora Cultrix, São Paulo, 1998.

XVII - * Durant, Will, História da Filosofia, Editora Nova Fronteira, Rio de Janeiro, 1996.

Análise da Inteligência de Cristo
O MESTRE DOS MESTRES

(editora Academia de Inteligência, São Paulo, 2000)

O mundo comemora o nascimento de Cristo, mas as pessoas não têm idéia de como sua personalidade era intrigante e sofisticada. Ele foi o mestre dos mestres da escola da existência, a escola da vida, uma escola na qual muitos psiquiatras, intelectuais e cientistas são pequenos aprendizes.

Este livro, ao estudar a inteligência de Cristo, resgata uma dívida da Psicologia, que se omitiu até hoje em pesquisá-la, trazendo à luz as características da personalidade Daquele que dividiu a história da humanidade.

Não importa o tipo de cultura, escolaridade, religião, *status* social e condição financeira que o leitor desse livro tenha. Cristo é universal e investigar a Sua inteligência anima o pensamento, rompe o cárcere intelectual, expande a inteligência, estimula a sabedoria e enriquece o prazer de viver. Quem estudá-la nunca mais será o mesmo.

Análise da Inteligência de Cristo
O MESTRE DA SENSIBILIDADE

(editora Academia de Inteligência, São Paulo, 2000)

Podemos estudar os grandes pensadores, tais como Platão, Descartes, Max Weber, Hegel, Darwin, Freud, todavia ninguém teve uma personalidade tão complexa, misteriosa e difícil de ser compreendida como a de Jesus Cristo. Ele não apenas causou perplexidade nos homens mais cultos de sua época, mas, ainda hoje, Seus pensamentos são capazes de perturbar a mente de qualquer um que queira estudá-Lo, livre de julgamentos preconcebidos.

As sementes que Ele plantou germinaram na mente e no espírito daqueles galileus e incendiaram o mundo. Ele causou a maior revolução da História, entretanto, não desembainhou uma espada e não usou de qualquer violência. Foi, sem dúvida, o Mestre da sensibilidade.

A vida não O poupou. Do nascimento até à morte, Ele passou pelas mais amargas situações de sofrimento. Entretanto, para nosso espanto, Ele era uma pessoa alegre e que irradiava tranqüilidade. Tinha uma habilidade ímpar para gerenciar Seus pensamentos e trabalhar as Suas angústias.

Sua motivação para cumprir Suas metas era surpreendente. Ao cair da última folha do inverno, conseguia ver as flores da primavera.

Estudar o *Mestre da sensibilidade* não apenas nos encantará, mas nos fará revisar as avenidas principais de nossas vidas.

Análise da Inteligência de Cristo
O MESTRE DA VIDA

(editora Academia de Inteligência, São Paulo, 2001)

Jesus Cristo conseguiu um feito extraordinário. Quando alguém perde o seu poder numa sociedade, é colocado em segundo plano e deixa de influenciar o ambiente. O mestre de Nazaré, para a nossa surpresa, quando deixou de lado seus feitos sobrenaturais e sua exímia capacidade de argumentação, foi espantosamente fascinante.

Livre, ele fez milagres e proferiu discursos que arrebataram multidões e deixaram seus opositores perplexos. Preso, ele usou a ferramenta do silêncio e produziu olhares e pequenas frases com tantas implicações que são capazes de nos deixar perplexos.

No "Julgamento do Mestre" investigaremos todas as etapas do seu julgamento. Veremos que talvez seja a primeira vez em que os papéis num julgamento se inverteram: o réu estava livre e os "juízes", bem como seus torturadores, estavam presos. Presos pelo ódio, ansiedade, insegurança que sentiam diante do mais corajoso, sábio e dócil dos homens, o mestre de Nazaré. Antes de ser crucificado, passou por quatro sessões de tortura para executar o mais espetacular plano da história.

O próximo livro da coleção será "O Mestre do Amor". Nele analisaremos as inimagináveis reações e pensamentos de Jesus Cristo do momento em que sai da Casa de Pilatos carregando a cruz até a última batida do seu coração.

A PIOR PRISÃO DO MUNDO

(editora Academia de Inteligência, São Paulo, 2000)

A PIOR PRISÃO DO MUNDO é um livro apaixonante, esclarecedor, cujo objetivo é mostrar que a pior prisão do mundo é a que aprisiona a nossa emoção e nos impede de sermos livres e felizes.

Diversas doenças, tais como a depressão, a síndrome do pânico, os transtornos obsessivos, as fobias, encarceram a emoção. Entre elas também se encontra a dependência de drogas ou a farmacodependência. Nada prejudica tanto a emoção como gravitar em torno dos efeitos de uma droga. Quem é prisioneiro no âmago da sua alma, além de perder a liberdade de pensar, faz de sua vida um atoleiro de tédio e de angústia.

Neste livro, Augusto Cury evidencia que as relações entre pais e filhos e entre educadores e alunos precisam passar por uma verdadeira revolução. Todos dividem o mesmo espaço, respiram o mesmo ar, mas vivem em mundos diferentes. Estão próximos fisicamente, mas distantes interiormente, o que os torna um grupo de estranhos.

A PIOR PRISÃO DO MUNDO interessa aos que desejam compreender com profundidade o cárcere das drogas, os segredos do funcionamento da mente humana, e aos que almejam maior qualidade de vida e ser livres dentro de si mesmos.

TREINANDO A EMOÇÃO
PARA SER FELIZ

(editora Academia de Inteligência, São Paulo, 2001)

Nunca tivemos uma indústria de lazer tão grande e diversificada, com opções como a TV, a internet, os esportes, a moda, o turismo, mas o homem nunca foi tão triste e sujeito a tantas doenças psíquicas. Ele está preso no cárcere da emoção.

Jovens e adultos não sabem falar a linguagem emocional. Estão sós no meio da multidão. Alguns têm grandes motivos para ser alegres, mas são insatisfeitos. A emoção, inclusive dos adolescentes, pode envelhecer precocemente, dependendo do nível de ansiedade. Há muitos velhos no corpo de jovens. Como rejuvenescer a emoção?

Não é simples navegar nas águas da emoção. Reis e súditos, intelectuais e iletrados, grandes e pequenos falharam em conquistar a felicidade. Como educar a emoção e resgatar o prazer de viver? Como ter qualidade de vida em meio às turbulências? Aqui você terá muitas respostas, inclusive as propiciadas pelo mais excelente mestre da emoção.

Nada é tão belo e complexo quanto a emoção. Ela é capaz de tornar ricos em miseráveis e miseráveis em ricos. Você pode treinar a sua emoção para ser feliz e tranqüilo, para gerenciar os pensamentos, superar a ansiedade e descobrir coragem na dor, força na fragilidade, lições nos fracassos.

INTELIGÊNCIA MULTIFOCAL

(editora Cultrix, São Paulo, 1998)

Há livros que nos inspiram, que nos emocionam, mas não modificam a nossa história pessoal. Mas há alguns que revolucionam a Ciência, estilhaçam os paradigmas intelectuais e modificam para sempre a nossa maneira de pensar o mundo e a nós mesmos.

Inteligência Multifocal enquadra-se nesta última categoria. Seu autor, o dr. Augusto Jorge Cury, é um cientista teórico, pensador humanista da Psicologia e da Filosofia, psiquiatra, psicoterapeuta e consultor de universidades para o desenvolvimento da inteligência multifocal. Suas idéias são originais, profundas, eloqüentes e críticas. Unindo a Psicologia com a Filosofia, ele abre as janelas da nossa inteligência, estimula-nos a desenvolver a arte de pensar e desvenda-nos o complexo funcionamento da mente humana.

Atualmente, as teorias de maior impacto que enfatizam a área do desenvolvimento da inteligência são teoria da *Inteligência Emocional, de* Daniel Goleman, e a teoria das *Inteligências Múltiplas*, de Howard Gardner.

Levando em conta o fato de que todos os processos de construção da inteligência são multifocais, a teoria proposta pelo dr. Cury tem sobre essas duas teorias e sobre todas as outras a vantagem de ser muito mais abrangente, pois envolve toda produção intelectual, histórica, cultural, emocional e social criada na trajetória da existência humana.

Opiniões de alguns leitores:

"O seu livro "ANÁLISE DA INTELIGÊNCIA DE CRISTO-vol. 1 e 2 é fantástico e está longe de ser um livro de auto-ajuda, mas um livro de conscientização para nossa real estrutura ontológica". **B.A.C.**

" Estou encantada com a obra "ANÁLISE DA INTELIGÊNCIA DE CRISTO-vol1 - vol2. De fato nunca se ouve falar sobre a profundidade do ser do Mestre Jesus." **N.L.**

"Ao ler sua obra "ANÁLISE DA INTELIGÊNCIA DE CRISTO"vol1 e vol2 ,senti reacender em mim a paixão por Jesus Cristo. Agradeço por mim e por milhares de pessoas que leram seus livros e sentiram suas vidas mudar. **I.D.**

"Li a coleção "ANÁLISE DA INTELIGÊNCIA DE CRISTO" e a "A PIOR PRISÃO DO MUNDO" e achei fantásticos.Posso dizer até que é uma obra rara. Após ler os livros iniciei imediatamente aplicando através de exercício prático algumas de suas colocações, que estão facilitando significativamente minha maneira de encarar a vida em todos os campos, do profissional ao pessoal." **G.P.Z.**

"Parabéns pela sua obra. Você é um desses raros astros que volta e meia vem iluminando o caos literário que envolve os assuntos de Deus..." **R.F.**

"Sou médico e desde meus 15 anos leio a Bíblia, mais que qualquer outro assunto em particular , mas com seus livros deparei-me com um ponto de vista sobre a mente de Jesus que jamais tinha percebido e estou perplexo: Jesus foi e é muito, muito mais impressionante do que eu poderia conceber! " **H.C.S.**

Próximos lançamentos da editora

"O Cárcere da emoção"

Coleção
"Análise da Inteligência de Cristo"
"O Mestre Inesquecível" - vol 5

A Editora Academia de
Inteligência agradece a todos os
leitores que, como poetas da vida,
têm difundido nossos livros
aos amigos, parentes, dentro de sua
empresa e, principalmente, nas escolas
do país e até em livrarias longínquas.
Nós, da editora, autorizamos e
encorajamos os leitores a dar
palestras nas escolas ou em grupos sociais
usando o conteúdo destes livros, desde
que citada a fonte.
Agradecemos a todos
que nos têm enviado
e-mails emitindo suas opiniões e dizendo
que suas vidas ganharam novo significado
a partir da leitura destes livros.

Editora Academia de Inteligência
Contatos:
Email: **academiaint@mdbrasil.com.br**
Telefax: (17) 3342-4844
www.academiadeinteligencia.com.br
Contatos com o Autor:
E-mail: **jcury@mdbrasil.com.br**

VOCÊ É INSUBSTITUÍVEL

(editora Sextante, São Paulo, 2002)

Este livro fala do amor pela vida que habita em cada ser humano. Ele conta a sua biografia. Se até hoje sua história nunca foi contada em um livro, agora ela será, pelo menos em parte. Você descobrirá alguns fatos relevantes que o tornaram um dos maiores vencedores do mundo, dos mais corajosos dos seres, dos que mais cometeram loucuras até por amor para poder estar vivo.

Talvez você não saiba, mas você foi profundamente "apaixonado" pela vida desde que o relógio do tempo começou a registrar as fagulhas de sua existência. Não é tão simples viver a vida. Às vezes, ela contém capítulos imprevisíveis e inevitáveis. Mas é possível escrever os principais textos de nossas vidas nos momentos mais difíceis de nossa existência.

Quase todos estão vivendo o pior cárcere do mundo, o cárcere da emoção. Estamos sendo cada vez mais um número de identidade, um consumidor em potencial, um ser que se perde na massa de seres humanos.

Espero que você tenha uma grande visão neste livro. Nessa visão, desejo que você enxergue que, apesar de sua idade, cultura, *status*, fracassos ou sucessos, você é simplesmente uma pessoa insubstituível...

Impressão e Acabamento

Bartira

G r á f i c a
(011) 4123-0255